瞑想でできる、
心とアタマのリフレッシュ！

もし、あなたの気分がウツだったら
もし、あなたがイライラしていたら
もし、仕事でストレスが溜まっていたら
もし、仕事の効率が落ちたと思ったら
それらは、たった15分の瞑想で
解消できるようになります。

静かな空間で、
呼吸を整え
次々に押し寄せる雑念を
払拭《ふっしょく》することが
上手な瞑想への第一歩です。
まずは、その方法を
ご紹介しましょう。

1 設座 場所を確保する

2 着座 座る

静かなところで照明を暗くし、座布団を２枚くらい重ねて、自分の前に若干余裕のある場所に置いて座ります。

3 開始前屈 上体を前に倒す

手のひらを床につけて、お辞儀をするように、上体をゆっくりと前に倒します。手を伸ばし額を床につけます。

4 瞑目 目を閉じる

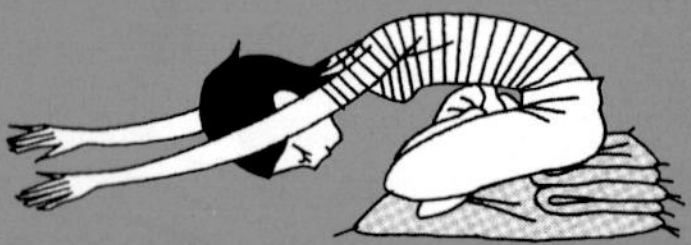

そこで目を瞑ります。この時、これから瞑想を真剣に、かつ、楽しんでするのだとしっかり自覚します。

5 起身 上体を起こす

床につけた手を少し引きながら、ゆっくりと上体を起こしていきます。「尾てい骨」のところから、背骨を一つ一つ順に積み上げていくように、ゆっくりと起こしていきます。

6 結印 印を結ぶ

両手を膝の上に置き親指と人差し指の先を軽く合わせて輪っかをつくります。向きは上下どちらでもよいです。

7 通気 胸式呼吸
8 深気 腹式呼吸

まず胸式呼吸を３回。鼻から大きく息を吸って、鼻から勢いよく吐き出します。その後、腹式呼吸に移行します。

9 整芯 姿勢を整える

上体を少し左右に揺らして、姿勢がまっすぐかどうか、座り心地はどうか、それを確かめて静かに止まります。

10 唱呪 瞑想に入る
11 実践瞑想 瞑想を進める
12 境地瞑想 瞑想を深める

「オーン、ナーム、スバーハー」と心で唱えながら瞑想します。マントラ以外のことは考えないことです。

13 終了 瞑想を終える

瞑想を自分で終わります。眠りそうになったり集中力が切れたと思ったら15分以内でも終了しましょう。

14 終了前屈 瞑想を解く

手のひらを床につけてゆっくりと上体を前に倒し、しばらくそのままの姿勢でいます。瞑想はゆっくりと時間をかけて解きましょう。その方が次回の瞑想に入りやすくなります。瞑想が解けたら目を開けましょう。

15 終了休息 リラックス

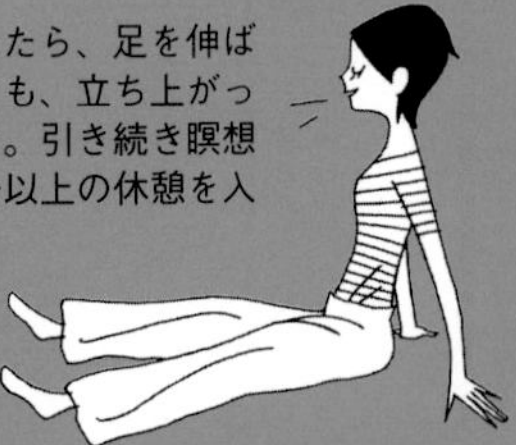

上体を起こしたら、足を伸ばしても、寝ても、立ち上がってもいいです。引き続き瞑想する時は５分以上の休憩を入れましょう。

光文社知恵の森文庫

宝彩有菜

始めよう。瞑想

15分でできるココロとアタマのストレッチ

光文社

本書は知恵の森文庫のために書下ろされました。

はじめに

二十一世紀になって、科学のあらゆる分野が飛躍的に進歩をしている中で、人間の脳についての理解が依然として三千年前とあまり変わらないというのは、ある意味驚きです。

科学技術は、先人の研究開発したものを踏襲してその先に進んでいけます。知識やノウハウの蓄積、伝達、継承が円滑に行われているからです。ですから飛躍的に発展することができるのですが、人間の脳の働き方や、使い方についての知識、ノウハウは、伝達、継承が難しいので、三千年前とあまり変わらないのだと思います。

しかし、今は、二十一世紀です。そんなことを言っていてはいけません。

脳の上手な使い方のノウハウを、科学的に解説、伝達すべき時に来ていると思います。幸い、脳を取り巻くあらゆる科学技術や、それを伝達する情報産業は日々発展し、人類史上かつてない域に達しています。

ですから、脳のテクノロジーである「瞑想」を今こそ他と同様に、科学的態度でもって取り扱うべき時期に来ているのだと思います。

この本は、瞑想は科学であるという視点から書いています。

脳には、不思議なことがいろいろありますが、それらもすべて科学的なアプローチで検証・解説しています。瞑想の実践の方法についても、一つ一つ意図・目的を掲げ、具体的・論理的に説明しています。

お読みになると、「瞑想」は脳を活性化させる最も優れたノウハウなのだと理解されると思います。

そして、自ら実践されることにより、その効用が体験されると思います。

するとこの瞑想というノウハウを知らないままで一生を終えるのは、とても損なことだと納得されるのではないかと思います。

是非、この本を読んで、瞑想を開始してみてください。

宝彩有菜

始めよう。瞑想　目次

はじめに

序章　瞑想はおもしろい

1章　さぁ、瞑想してみよう

2章 上手な瞑想をマスターする

3章 瞑想いいこと尽くし

4章　上手な瞑想への近道

5章 上手な「瞑想」のためのQ&A

資料提供／自治医科大学　渡辺英寿教授
本文レイアウト／川島　進（スタジオ・ギブ）
イラスト／原子高志
図表作成／河合理佳

序章

瞑想はおもしろい

「瞑想」入門

瞑想の歴史

瞑想のことを、仏陀《ぶつだ》はビハール地方の方言であるパーリ語で「ジャン」と言っていたそうです。それが中国に伝わって「ヂャウ（定）」になり日本に伝わって「ゼン（禅）」になりました。

しかし、長い道のりを経てやってきたので、古来の「ジャン」からずれている部分が多くなっています。また、現在のインドにも古来の「ジャン」がそのまま残っているわけではありません。本来はどうであったのか、場所や時代をさかのぼって、当初の「ジャン」に戻してみる必要があります。

さて、仏陀も悟る前は悟っていませんでした。いわゆる「仏陀」ではなかったわけです。釈迦国の王子様でした。仏陀は、悟る前はその当時伝えられていた瞑想の修行を行っていたと思われます。つまり当時の「ジャン」です。

では、その「ジャン」とは何かと、仏陀の残された説明を元に推量していくと、それは今に残る仏教以前に成立した『ウパニシャッド』と呼ばれる書物に現れる「ヨーガ」の説明と似ているところが多いのです。

では、その「ヨーガ」の説明を元に古来の瞑想を復活させればよいのかと言えばそうでもありません。

現在に伝わっている「ヨーガ」が昔と同じだとは、これまた言えないからです。「ヨーガ」と言えば、今では、整体や体操のように思われていますが、それは、「ヨーガ」の一部で「ハタ・ヨーガ」（肉体の修行）と呼ばれている部分です。

仏陀の言う「ジャン」に一番近いのは、「ラージャ・ヨーガ」と言われる部分です。「ラージャ」とは「心の・精神の」という意味で「ヨーガ」とは、「修行、鍛錬」という意味です。

つまり「心の修行」という意味です。

古代インドの学者「パタンジャリ」が編纂した『ヨーガ・スートラ』に「ラージャ・ヨーガ」が記載されており、現在に伝えられています。

ほかにも、古代インドの大叙事詩である『マハーバーラタ』の中に約七百詩節からなる「バガバッド・ギータ」がありますが、その中にも瞑想の説明の箇所があります。

しかし、それらの文献も全部が参考になるわけではありません。後続の瞑想をあまり理解できなかった人が書き加えたり、書き換えた部分は参考になりませんし、また、今の科学の常識からはずれたこと（古代ではそれが常識であったこと）を例にして説明してある部分などは、かえって分かりにくくなってしまっています。

しかし、古代の社会の状況なども勘案し、不都合なところを差し引いて読んでみると、仏陀の言う「ジャン」の元になったと思われる瞑想についての説明文もあちこちに散在しています。ですから、私は、仏陀の時代には瞑想という習慣はわりと一般的で、しかも「ジャン」の教科書的な役割をしていた書物や語り伝えも多々あったのではなかろうかと思っています。つまり、今より古代の方が、テレビや娯楽が乏しい分だけ、かえって瞑想はポピュラーだったのではないかと思っているのです。

「ヨガ」や「呼吸法」は、本来瞑想のためのものだった

瞑想の周辺の技法として「肉体の修行」であるハタ・ヨーガや、呼吸法、アロマなどがあります。確かに、効率良く瞑想するには、静かなところの方が良いですし、体調も良好な方が良いわけです。痛いところや、痒《かゆ》いところがないようにしておいた方が良いわけです。同様に、どこか筋肉が凝っているなら、ストレッチなどをして凝りをほぐしてから、瞑想した方が、凝ったまま瞑想するより良いです。また、もし、微妙な生活の匂いが気になるなら、何か良い香りのお香を炊いた方が、そうしないよりは、良い環境と言えます。

それらを準備の一環として利用するのは、悪いことではありません。しかし、瞑想する準備として意味があるとしても、準備だけをいくらしても瞑想しなければ瞑想はできません。それはまるで、自転車の乗り方をマスターしようとしている人が、自転車の整備ばかりして自転車に乗らないのと同じです。

それより瞑想本体に取り組んだ方が賢明です。そうすれば、瞑想の工夫や自分に必要な準備も自ずと分かってきます。

宗教ではなく、科学だ

瞑想を広辞苑で引くと、「目を閉じて静かに考えること。現前の境界を忘れて想像をめぐらすこと。瞑想にふける」と、あります。

しかし、瞑想は「何かを想像したり、考えたりする」ことではありません。むしろ逆です。「何も考えないようにする」ことです。無心になる。無我になる。空っぽになる。でも、いきなり、そのような心境にはなれませんので、工夫してそうなろうとすることです。それは、いつも働きすぎの頭に適時、真の休憩、リフレッシュタイムを与えることです。すると、まるでクリーニングをしたようにきれいになります。

瞑想すると心が軽やかに明るくなり、身体が健康になり、頭が聡明になります。また、幼い頃の古い記憶が蘇ってきて、例えば、幼児期の懐かしい家族の笑顔や、夕焼けに染まる近所の家並みなどを、まるでそこのあるようにリアルに思い出したりします。時には、快感（エクスタシー）が訪れることもあります。

瞑想は難しくありません。簡単です。誰でも練習すればできるようになります。実際、私の瞑想の方法で瞑想した人の中から、そのような本当に素晴らしい体験をする人が次々に出てきています。瞑想は年齢や男女には関係ありません。

私の瞑想の方法は、古来の原始的な、いわばクラシックな瞑想を現代版にしたもので、誰でも修得できて、しかも、効果の確かなシンプルなものです。

瞑想というと、宗教を思い出す人も多いでしょうし、何か宗教に関係していると思っている方も多いと思いますが、瞑想は宗教以前からあるもので、脳に関する科学的なノウハウです。

水泳より簡単で、安全

水泳をするのも、自転車に乗るのも心身の健康に良いものです。瞑想は座る場所さえあれば簡単にできて、溺《おぼ》れることもありませんし、転ぶこともありません。そして、水泳やサイクリングと同等以上に日々の心身の健康に良いものです。また、脳の中のことだから安全かどうかわからない、とお思いの方もあるかもしれません。

しかし、本書にて科学的で具体的な説明をお読みになり、瞑想とは何をどうするのか理解されると、瞑想はとても安全で心身の健康のために良いものだと納得されると思います。そして、なにより瞑想は継続して練習すると、誰でも確実に上手になります。

わずか15分で、効果が上がる

瞑想は短くても効果があります。瞑想する時間は、3分でも、5分でも、10分でもOKです。瞑想したら、瞑想した分だけの効果があります。3分なら3分の、5分なら5分の効果や効用があります。集中して15分くらい瞑想すれば、多大な効果があります。

毎日決まった時間にする方がより効果があります。2日から3日あけても、別に問題はありません。1週間に一度でも瞑想してみましょう。

瞑想をまったくしなければ分かりませんが、できるときに少しでもするとその効果に驚かれると思います。

1章

さぁ、瞑想してみよう

15分の瞑想で、ココロもアタマもスッキリ

瞑想の心得

それでは、さっそく、瞑想してみましょう。

瞑想するのに必要な道具はとくにありませんが「瞑想しよう」という気持ちと、落ち着いて座れる場所、しばらく座っていてもお尻が痛くならないような、例えば座布団などが必要なものです。

水や時計もあった方がいいですが、なくても構いません。また、眠くないときなら、夜でも昼でもいつでも可能です。実践する時間も長短、自由です。

作法は、環境や状況に合わせてさまざまなバリエーションやオプションがありますが、この章では標準的なものを紹介します。

それぞれの作法には、瞑想を効果的に行うための合理的な目的がありますので、そ

れを理解してください。すると、どこでも応用したり、省略したり、工夫したりできます。

瞑想は頭の中の作業ですから、外形にはこだわりません。ですが、とりあえず、ここでは標準形を書いておきます。

瞑想の全体的な流れは、口絵を参考にしてください。

次ページより、15の所作に分けて、姿勢などの注意点やアタマの中の様子を解説します。

まずは「瞑想」というものにトライしてみましょう。

実践しながら読むと、何倍もよく理解できると思います。

1 [設《せつ》座《ざ》] 場所を確保する

静かで落ち着ける場所を探しましょう。照明も暗くできる方が良いですし、風もあたらない方が良いでしょう。匂いも少しの良い香りならあっても構いませんが、基本的には香りのない方が良いです。

座布団を二つ折りにするなどしてお尻の下に敷き、お尻の位置を少し高くしましょう。私は足よりお尻を20センチくらい高くするのが好きなので、座布団を2枚使ったりしますが、自分にちょうど良い高さに調整してください。お尻が低いと背中が丸くなり、お尻の位置を高くすると、背筋をまっすぐにするのが容易になります。

また、瞑想中にびっくりするような音がすると、次から、瞑想に入りにくくなりますので、ケータイも切っておきましょう。

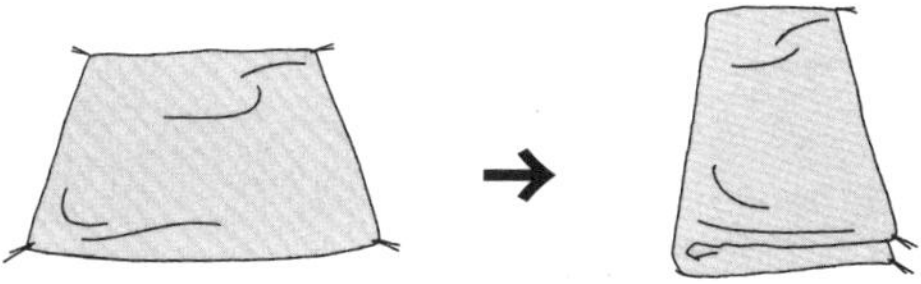

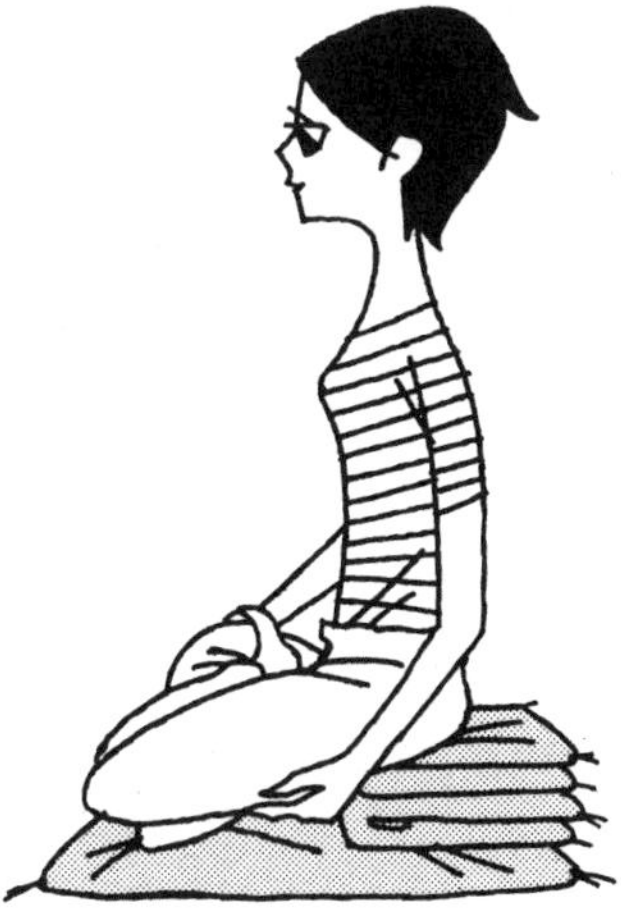

なるべくなら、いつも決まった場所で瞑想するようにしましょう。また、周囲も片付いた清楚な雰囲気の方が良いです。その方が、瞑想が早く深くなります。

2［着座《ちゃくざ》］座る

胡座《あぐら》をかいて座りましょう。お尻を安定させるためです。

胡座で座る目的は、そうすると接地面積が広くなり長く座っていてもお尻が痛くなりにくいからです。瞑想に適した姿勢です。胡座に座った片足を反対側の股にのせた半跏趺坐《はんかふざ》でもいいですし、両足ともそうした結跏趺坐《けっかふざ》でもいいでしょう。また、正座でもいいですし、場合によっては、椅子に座って行ってもかまいません。

「座る」ことの目的は、お尻を安定させることと、接地面積を多くすることと、もうひとつ大切な目的は、背筋を垂直方向に立てることです。

また、次の姿勢、開始前屈（次頁）の前に、できれば開始時刻を時計で見ておいてください。「今、何時何分だな」という感じです。

メガネや、時計、ネックレスほか、身体を締め付けるものは、できるだけはずすか緩めるようにしておきましょう。

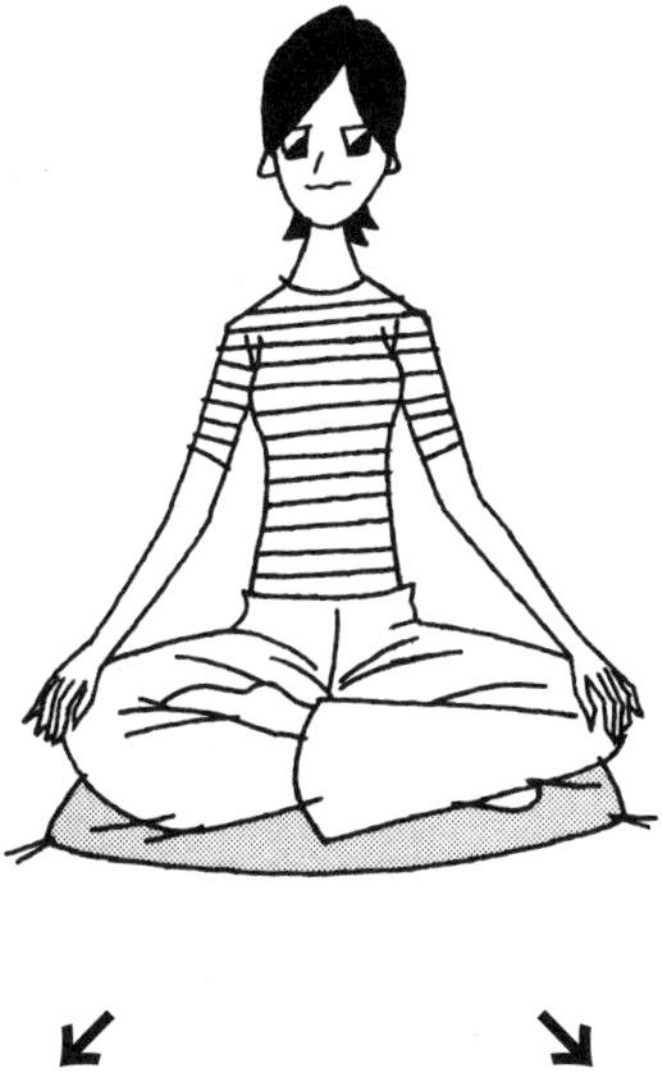

半跏趺座《はんかふざ》は安定します。結跏趺座《けつかふざ》が無理なくできる人はそれも良いでしょう。胡座《あぐら》でも正座でも大丈夫です。

3［開《かい》始《し》前《ぜん》屈《くつ》］上体を前に倒す

手のひらを床につけて、上体をゆっくり前に倒し身体を伸ばしましょう。

瞑想に入る前に、一度、上体を前方に倒してみます。両手もできるだけ前方に伸ばします。瞑想中に倒れることは決してありませんが、これは心配性の心に「そこは何も障害物はなく、安全である」と安心させるための工夫です。

それと、その次の背骨を伸ばすという作業の前作業にもなっています。

頭も下げて背中を充分伸ばします。

また、どのくらいの角度で前屈ができるのか、その柔軟度を覚えておいてください。

瞑想が終わったときにする「終了前屈」と比較するためです。

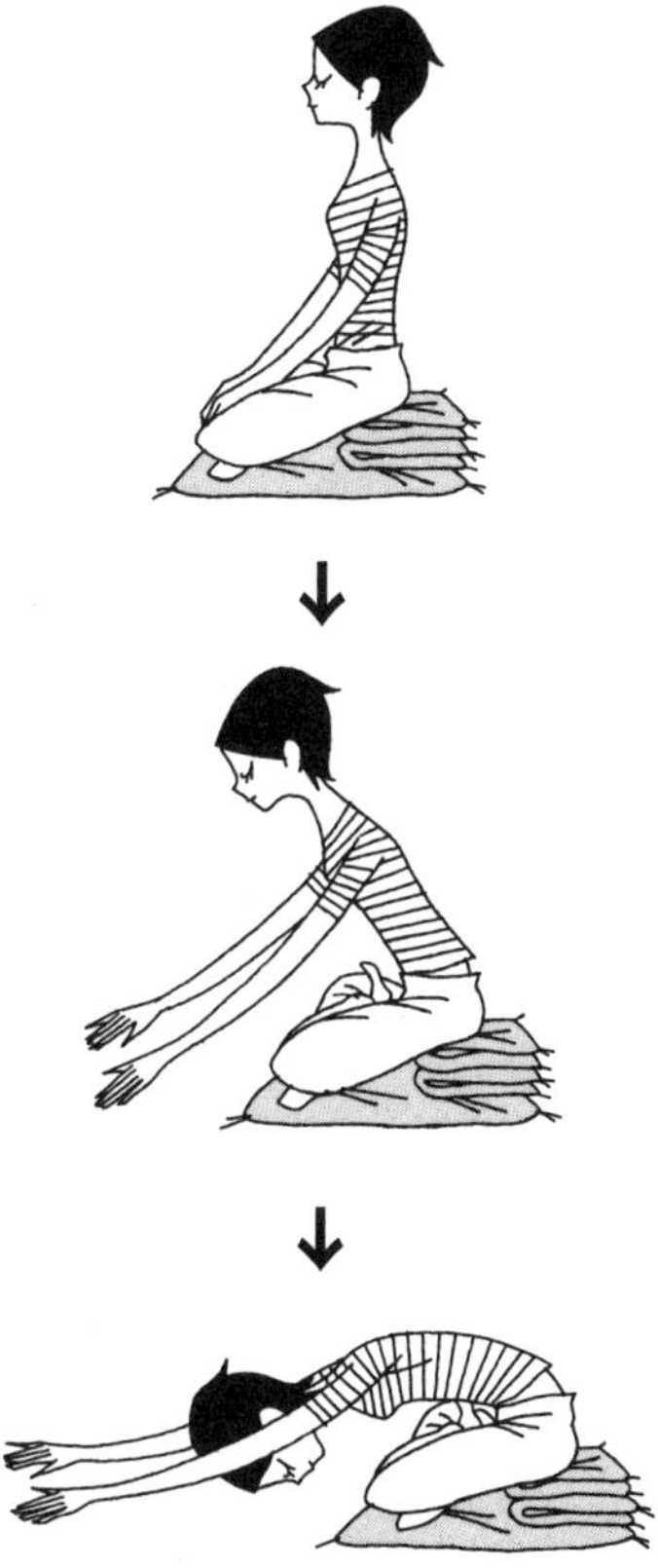

良い瞑想ができるようになると、座っているだけで、あちこちの筋肉や筋が伸びるため終わった後の前屈では驚くほど、身体が床につくようになります。

4　［瞑目《めいもく》］目を閉じる

目を瞑《つぶ》りましょう。外部からの情報をできるだけ少なくした方が、瞑想が早く深くなりますので、外部からの情報を入れないためです。

その意味で目は瞑った方がいいですし、部屋は暗い方が良いわけです。

力を入れて目を瞑るのではなく、自然に瞼《まぶた》を閉じます。眼球の位置も自然で楽な位置にしておきます。

また、耳はふさげませんから、周りを静かにする工夫をしましょう。

ここで、「私はこれから瞑想する」と思います。

ただ座るのではなく、瞑想すると決意します。覚悟します。

毎回なんとなく瞑想するのではなく、毎回本気で新たな気持ちで瞑想することが大切です。毎回真剣勝負だというくらいのつもりが良いです。

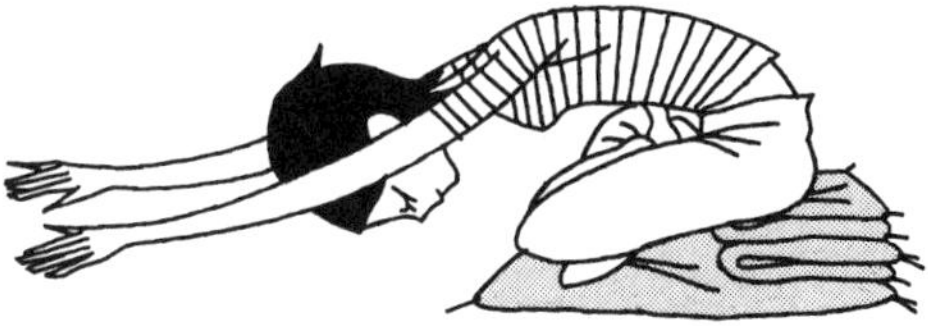

瞑想する時間は自分自身への極上の休憩をプレゼントすることでもありますから、それを今から「楽しむ」、「憩う」という気持ちも忘れないでください。

5［起《き》身《しん》］上体を起こす

床につけた手を手前に引きながら、ゆっくりと上体を起こしていきます。背骨を一つ一つ、「尾骶骨《びていこつ》」のところから、順に積み上げていくように、ゆっくり、ゆっくり起こしていきます。

その目的は、背骨の中に束になって通っている神経を圧迫の少ない状態にすることです。それらの神経が曲がったり、圧迫されていると深い瞑想に入りにくいからです。

イメージとしては、高さ数センチの浅い竹筒を積み重ねて、パイプにして、その中に、竹筒の内壁に触れないで、上から何本も、そうめんを垂《た》らすという感じでしょうか。物理的にまっすぐでなくても、自分の感覚でまっすぐでいいと思います。また、まっすぐな方が疲れません。

起き上がるときの動作は15秒から20秒かけて極力ゆっくりとしてください。この動作が速いと深い瞑想に早く入れません。ゆっくりの方が早く深く進みます。

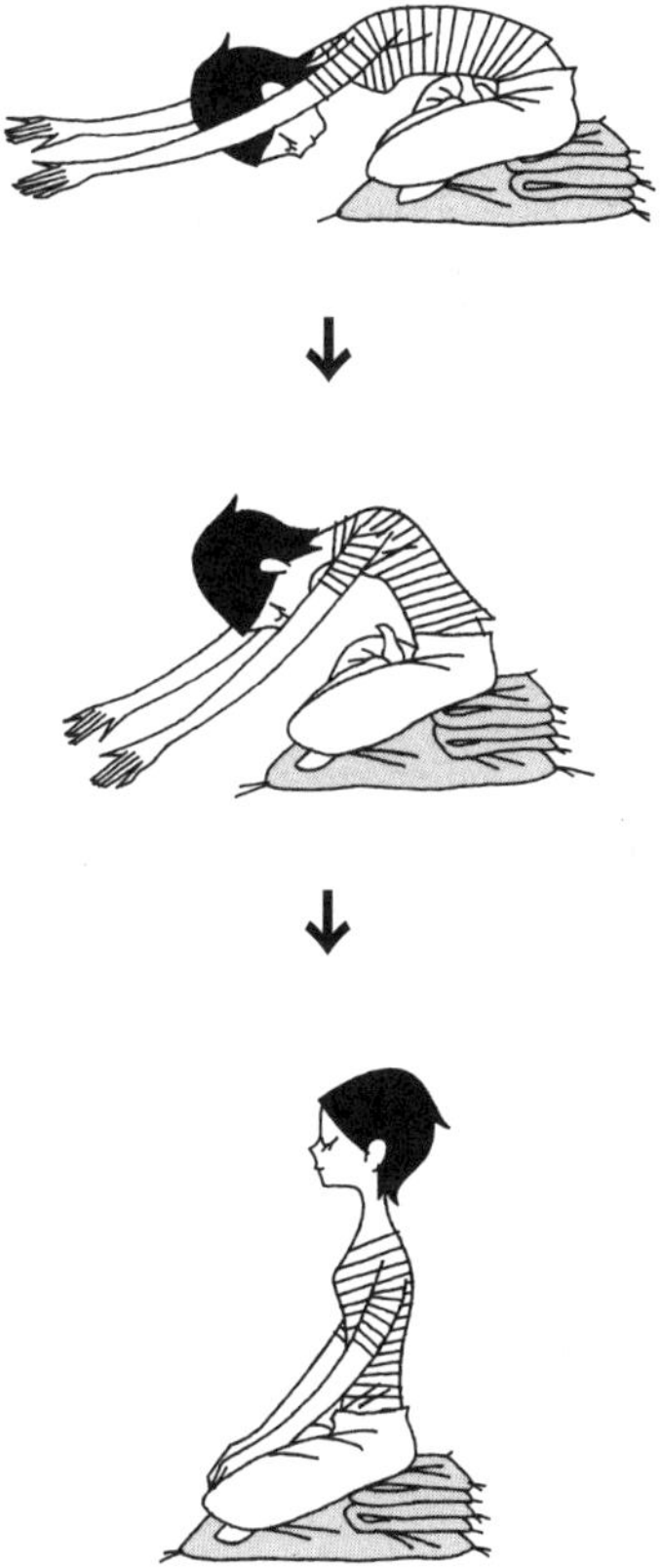

動作をゆっくりすることで、心に、「今は何も急ぐことはないのだな」と思わせることにもなっています。

6 [結印《けついん》] 印《いん》を結ぶ

起き上がったら、両手を膝の上に置いて印を結びましょう。

「印《いん》」を結ぶとは、親指と人差し指の先を合わせて輪っかをつくることで、瞑想中に眠らないようにする工夫です。紙一枚挟《はさ》んでも、それが抜け落ちるくらい軽く指先を合わせます。あまり力を入れないことが大切です。

手のひらは上向きでも、下向きでもかまいません。眠くなってくると、その「印」が解けますので、指先と指先の皮膚が離れる微妙な感覚を感じることができます。その感覚を感じたら、「ああ、私は眠りそうになっていた」と気がつけるわけです。

眠る心配がなければ、「印」を結ぶ必要はありませんが、初めのうちは印を結ぶようにしてください。その方が「その体勢になったら瞑想をするのだ」と習慣化するのに良いです。

瞑想になれてきて眠くならない場合は印を結ばなくてもいいですが、その時、手は膝の上でもいいですし、丹田《たんでん》（ヘソの下あたり）の前で組んでもいいです。

7 ［通気《つうき》］胸式呼吸

まず、胸式呼吸《きょうしき》をします。大きく息を吸って、鼻から勢いよく吐き出す呼吸を3回行ってください。大きく息を吸って、鼻から勢いよく吐き出します。

腹式呼吸をしながら瞑想に入りたいのですが、そのためには、先に胸式呼吸を充分して、やめるべき胸式呼吸をはっきり確認するためです。また、先ほど真っ直ぐにした背骨をもう一度上方に引き上げて、真っ直ぐかどうかを確認する意味もあります。

また、瞑想中は鼻から息を吸ったり吐いたりしますが、その鼻の通りを良くしておくことが必要ですので、息を一気に吐くことでそれを確認しておきます。

3度くらい行えば目的を達せられると思いますので、3回にしてありますが、1度でも、2度でも構いません。

また、咳が出そうだったら、空咳をして喉のいがらっぽさを取っておきましょう。

通気は、静かな穏やかな腹式呼吸を瞑想中ずっと続けるための準備です。

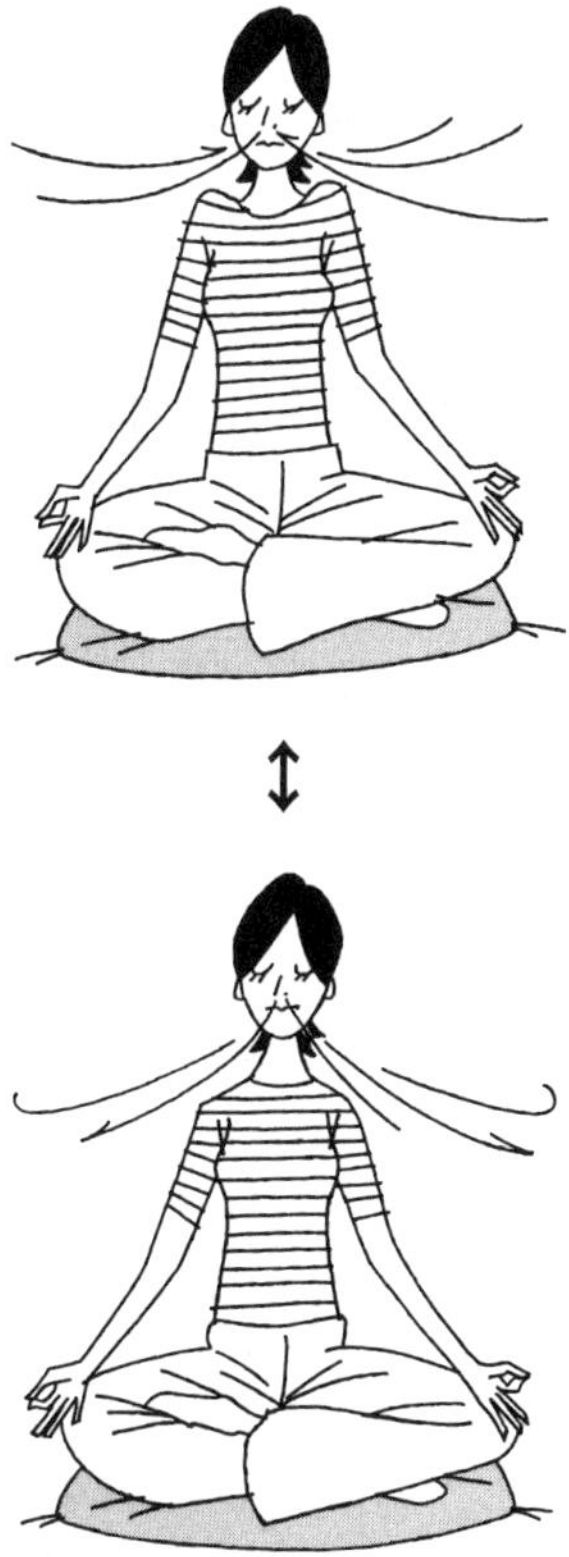

大きく吸って、まるで、海岸に打ち寄せる波が砕けるように吐き出して、砂浜を波が引いていくようにゆっくりと吐き切ります。

8［深気《しんき》］腹式呼吸

あとは、腹式呼吸に切り替えましょう。

肩や胸をほとんど動かさないで、お腹の奥まで息を吸って静かに息を吐きます。瞑想中は身体の随意筋《ずいいきん》（p66参照）を動かさないことが大切ですが、呼吸を止めるわけにはいきませんので、いちばん随意筋の動きの少ない呼吸法で呼吸をします。最初の2、3回は、吐く息と同時に肩の力を抜いてください。すると、腹式呼吸がもっと下の方でできるようになります。滑らかな、ゆったりした呼吸ができると、瞑想の上達が早くなります。

腹式呼吸もお腹全体を膨らませたり縮めたりするのではなく、丹田《たんでん》（ヘソより下のお腹）だけを膨らませたり縮めたりする呼吸の方がより瞑想に良いので、それも徐々にできるように練習しましょう。腹式呼吸・丹田呼吸の練習のコツについては、後述（p66参照）します。

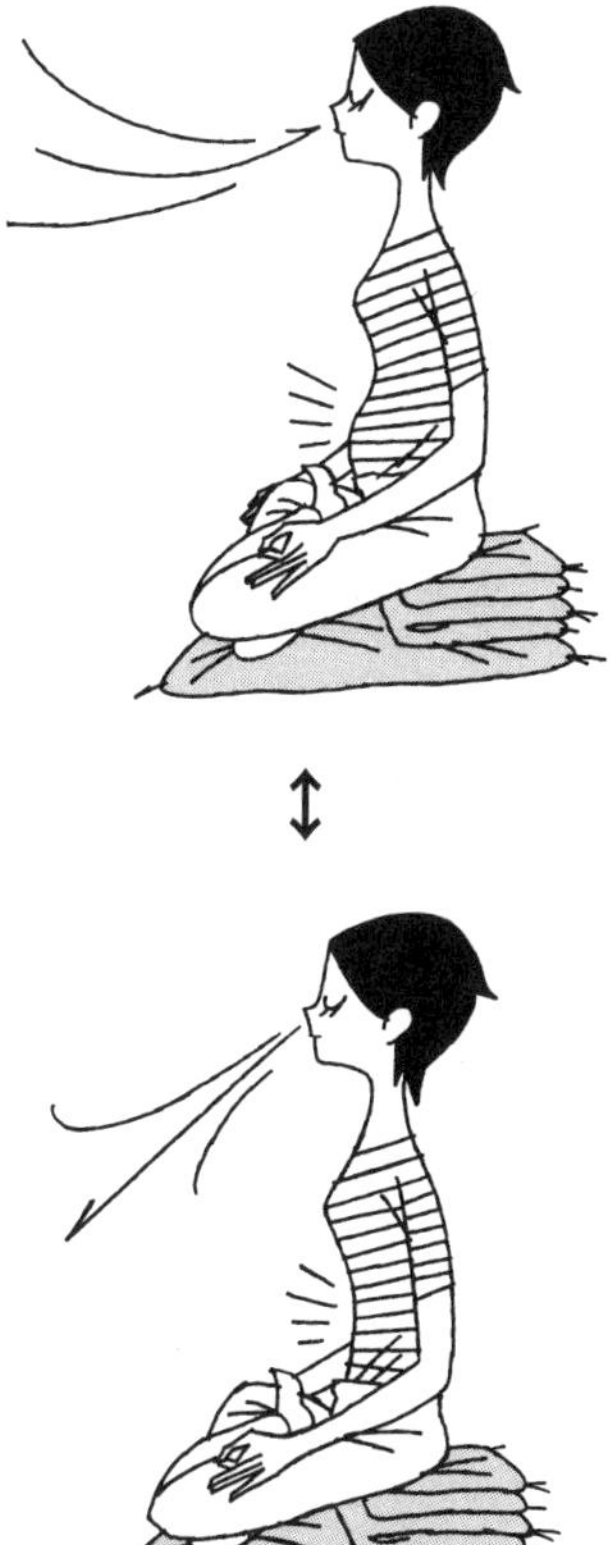

大きなゆったりした呼吸が良いのですが、⑩唱呪《しょうじゅ》から⑬終了まで、背骨、胸骨などを動かさず、腹式呼吸をすることが大切です。

9［整芯《せいしん》］姿勢を整える

上体を少し前後左右にゆらゆらさせて、背骨がまっすぐかどうか確かめましょう。座る姿勢を安定させるためです。上体を少し左右に、まるで海中の昆布が揺れるように、ゆっくり、2、3回、揺すってみます。

本当に背筋がまっすぐになっているかどうか、左右に傾いていないかもチェックしましょう。また、今から15分間微動すらしないつもりで瞑想をするわけですが、そのために、お尻の据わりなどもチェックします。座り方の最終チェックです。

この時、最後の一瞬で良いですから、自分の顔の表情をチェックしておきましょう。つるっとした何の感情もない顔が良いです。頑張っている顔や、困っている顔や、深刻な顔ではなくて、無表情の静かで穏やかな表情にしてください。眉間《みけん》に皺《しわ》を寄せていたり、歯をくいしばったまま瞑想すると、そのわずかに緊張した分だけ、「意識」が「考え」から離れるのに手間取るので、それを回避する工夫です。

身体を前後左右に揺らすのは、極めてゆっくりとしてください。そして、止まるときは振り子が止まるように静かに止まりましょう。

10 「唱呪《しょうじゅ》」瞑想に入る

心の中でマントラを唱えて瞑想に入ります。マントラは呼吸に合わせて唱えましょう。マントラを唱えることに集中することで、「雑念」を際立たせるわけです。マントラとマントラを唱える意味については、後で詳しく説明します（p62参照）。マントラを唱えるだけでなく、呼吸も意識をして瞑想する方が早く深くなりますので、呼吸に合わせます。

私のお勧めの「Mマントラ」（p63参照）を使った場合は、吸うときに「オーン、ナーム」、吐くときに「スバーハー」と心の中で唱えます。

意識をマントラだけに集中しようとすることがポイントです。ただひたすらにマントラを唱えます。ゆっくり静かに丁寧に唱えましょう。マントラを呼吸に合わすと言いましたが、多少ずれても構いません。また、逆になってもOKです。

心の中ですから唱えている声の大きさは分かりませんが、怒鳴ったり大声で唱えるのは良くありません。また、まるで機関銃のように早く唱えてもいけません。

11 ［実践《じっせん》瞑想《めいそう》］瞑想を進める

瞑想の実践です。何か、思考や、概念や、イメージが浮かんできても、それを追いかけたりしないですぐにマントラに戻りましょう。

どのような考えがやってきても、それを追いかけたり、考えを膨らませたりしてはいけません。雲（想念）は次々にやって来ますが心は青空のままです。ただ流しましょう。まるで、やってきた雲が去っていくように。

何か概念やアイディアや心配が出てきても、「考えてはいけない」と否定すると、かえって捕まってしまいます。「ああ、そのような考えを私は持っているのだ」と、自分が考えていることをまず認めて、それから「でも、今は瞑想中なので、それは瞑想が終わってから考えよう」と「後回し」にする、あるいは、「棚上げ」にするのが、上手に手放すコツ、つまり「片付ける」コツです。これが「思考の種」（p61参照）を片付けて心を支配下に置く練習です。ここから、15分間、瞑想をします。

オーン・ナーム・スバーハー
あれやこれや
オーン・ナーム
あれや
スバーハー
これや

あちこちに行こうとしている心を捕まえる訓練です。雑念を追わない。「考え」を膨らませたり、発展させると瞑想にはなりません。

12 ［境地瞑想《きょうちめいそう》］瞑想を深める

これは前段の実践瞑想が効率良く進んで、何も考えるべき「思考の種」がなくなると、自動的になれる状態（境地）です。

本当にこれほどの静かさはないと思うくらい、「しーん」と静かな状態になります。目を瞑っていますが、目の前が夜明けのように明るくなってきたりします。また、額が涼しく感じたりすることもあります。

自分で意識してこの境地に入ろうと努力しても入れませんが、前段が順調にすめば自動的に入れます。エスカレーターに乗れば自動的に上の階に着くようなものです。

この境地に達したときは、マントラを唱えることはもう不要になります。また過去からの持ち越しの心身の懸案を調整、是正することもあります。例えば、自然に首が傾いて瞑想が終わったら肩こりが治っていたりします。あるいは、過去の大小の出来事をありありと再体験して解釈やプログラムが変更になることもあります。

また、この境地瞑想のときに、初めて、恍惚感、エクスタシーを感じることがあります。そのコツをつかめるのもこの境地瞑想時です。

13［終了］瞑想を終える

瞑想を自分で終わります。

15分以上は、集中力が続きませんので、15分で一応瞑想をやめます。「15分経過した。もう瞑想はやめよう」と自分の時間感覚でやめてください。

また、瞑想の集中が続かないようでしたら、15分以内でも、さっさとやめましょう。片付け作業（実践瞑想）をしているときに、集中力が続かない場合とは、次々に出現してくる雑念からマントラへの戻りが遅くなる場合とか、あるいは、ほとんど、マントラに戻るのを忘れて暫くマントラを唱えていない状態が続く場合です。

そのような状態に気がついたら、それは良い瞑想をしているとはいえませんので、さっさとやめましょう。それよりは、集中力の保てる3分とか5分の短時間の瞑想を数回繰り返す方が上達は早いです。なお、閉じている眼は、次の「終了前屈」の後まで開かない方が良いです。瞑想の余韻を楽しんでください。

雑念ばかり追いかけて片付け作業がはかどらないようだと、いくら長時間実践しても良い瞑想にはなりません。集中力が続かないときは無理に頑張らないことです。

14 ［終了前屈《しゅうりょうぜんくつ》］瞑想を解く

手のひらを床につけて、一度ゆっくりと上体を前に倒しましょう。そのままの状態で、意識がこの場に戻ってくるまで、15秒以上ゆっくり待ちましょう。

瞑想から戻るときは、静かにゆっくり意識を戻してください。その方が次回、瞑想するときに瞑想の作業が効率的になります。瞑想が深くなってくると、心は周囲の状況に注意を向けることなく内に内にと意識を向けていきます。そのような時に急に大きな音がしたりすると飛び上がるくらいびっくりします。そして「瞑想なんかしていたから。とんでもない」と次回から瞑想に入りにくくなります。

瞑想中は外部からは何もやってこないし、安全なのだという認識が定着するようにしてください。瞑想終了時も細心の注意で静かに驚かさないようにしなければなりません。また、この時、時計を見る前に今実践した瞑想の時間を先に推量した後確認。そうすると、次第に自分の時間感覚（体内時計）が正確になっていきます。

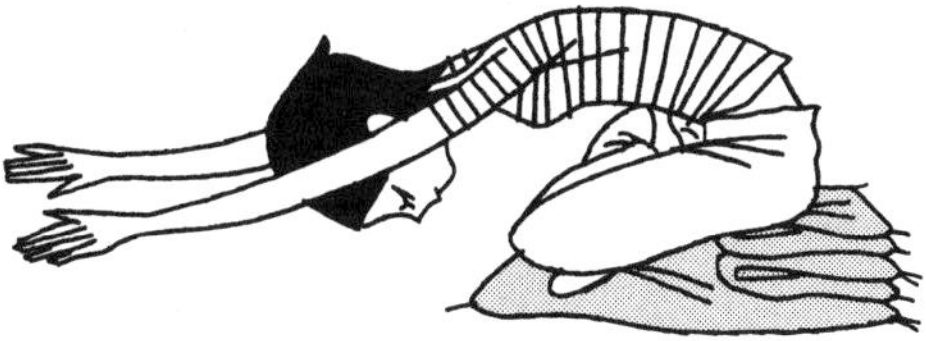

お辞儀をすると分かると思いますが、最初瞑想に入る前よりラクに身体が伸びます。瞑想して柔らかくなっている結果です。

15 「終了休息《しゅうりょうきゅうそく》」リラックス

普通の状態になったら、目を開けて起き上がっても良いですし、寝ころがっても良いです。両足を伸ばして膝のあたりをさすっても良いです。

2回目の瞑想を行うときは、5分以上の休憩をはさんで行いましょう（3回目も、4回目も同様）。

瞑想は集中力が必要です。それは15分くらいしか保てません。連続して瞑想する場合もしばらく静かに休憩を挟んでから行いましょう。休息時の照明は薄暗い方が次の瞑想に入り易いです。

瞑想と瞑想の間の休憩は静かに水を飲んだりしても良いです。もし引き続き瞑想をするつもりなら、人と話をしたり、テレビを見たり、本を読んだりするのはあまりお勧めしません。せっかく静かになっている心にまた波風が立つからです。

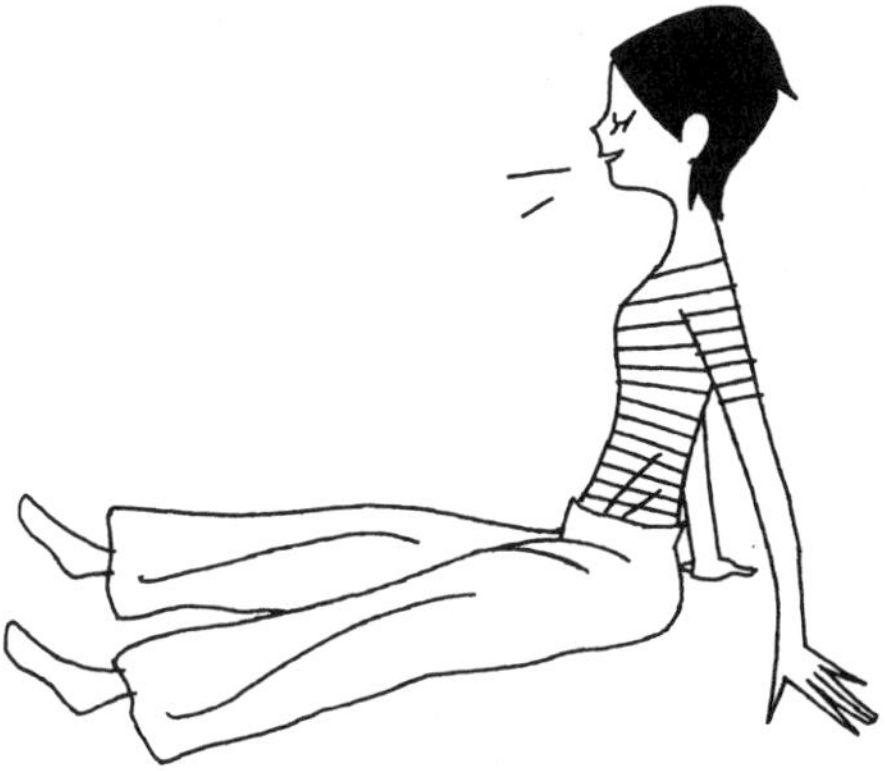

瞑想と次の瞑想をするまでの休息中の立ち居振る舞いは、
なるべくゆっくり静かにしましょう。

コラム　超常現象のウソ①

超能力のある人は、本当にいるのか？

瞑想が上達してくると、脳の働きが良くなりますから、まるで、超能力がついたように思えることがあるかもしれません。

しかし、それは、通常の人間が、普通に持っている能力が少し上がっただけのものです。非科学的な能力が授かるわけではありません。

瞑想が上達しても、紙の裏側の文字を透視できるわけではありません。物理的、科学的に無理なものは無理です。

しかし、この人はたぶんこんなことを紙の裏に書いたのではないかという想像力は10倍にも20倍にもなります。また、この人はたぶんこの箇所が異常に凝り固まっているから、ここを温めたり伸ばしたりすると病気が消えるな、と洞察してそうすることもあります。

いずれにしても、科学的なことです。脳の働きが広範囲で素早くなっていますから、超能力があるように見えることもありますが、実はどれも説明できる合理的、科学的なことなのです。

2章

上手な瞑想をマスターする

1 頭を「空《くう》」にする

「何も考えない」ことこそが、最重要ポイント

瞑想のポイントは「無」になることだと言ったり、「空《くう》」になることだと言ったりしますが、具体的には、何も考えない状態になることです。そのためには、「考え」が勝手に走っているのを、見つけて、捕まえて、停止させなければなりません。

自分が何を考えているのか分からない人はいません。でも、自分が考えていることを先に進めることは簡単にできますが、どこか途中で止めることは、なかなか難しいのです。

例えば、何か心配事があると、その心配が止まらなくなってしまった経験は誰にでもあると思います。心配という思考は、まるで小さな豆の種が畑に落ちて瞬《また》く間に天をも覆うくらいに大きく育ってしまうようなものです。あるいは、鍋の中のはじけ始

めたポップコーンが瞬く間に鍋から溢れるようなものです。

そのほかにも、思考にはいろいろな「種」があります。クヨクヨしたり、イライラしたり、なかなかその考えが止まらないことがありますが、瞑想では、そのような、はっきり分かる考えだけでなく、なんとなく考えていることもすべて含めて、「考え」を意識の中から、なくしてしまおうというのがポイントです。

また、人間の脳の中では各部位で多様な作業が行われていますが、「私」という意識を持って思考をしている部分を本書では特に「頭」ということにします。脳の中での具体的な場所は正確に同じではありませんが、ほぼ「前頭葉」の部分にあると思ってください。

なお、感情も実際には脳が司っていますが、感情も含めた脳の働きをいう場合は「心」ということにします。完全には分けられませんが、このようになるべく厳密に使い分けて説明することにします。

起きているときに「頭」が思考を止めると、心身は究極の休憩＝リラックスした状態になるのですが、その時「私という意識」が消えている状態になります。

つまり、「無我になる」「空《くう》になる」「無心になる」など、言い方はさまざまですが、実際には、自分という意識で自分を考えている「頭」が、「その思考」を「一時完全に休む」、言い換えると、「一休みする」ということです。

そのための手段が「瞑想」です。具体的にはマントラを唱えることによって、「思考」や「思考の種」を整理して片付けていくことです。

では、その手順を説明しましょう。

マントラは、「雑念」を際立たせるための道具

「マントラ」は「真言《しんごん》」とも「呪文《じゅもん》」ともいいます。あまり意味を持たない音のつながりです。

般若心経《はんにゃしんぎょう》の大明呪《だいみょうしゅ》である「ぎゃーてーぎゃーてーはーらーぎゃーてーはらそーぎゃーてーぼーじーそわか」もマントラです。「なむみょうほうれんげきょう」「なむあみだぶつ」「おーむ」「アーメン」「すーはー」なども、マントラになりえます。「ひとーつ、ふたーつ」でもマントラになります。

もともとは、インドの古代の神様に捧げた言葉が多いようですが、それらが、中国、日本と伝わってくる間に変化したものもあります。

しかし、マントラ自体に何か力があって、それを唱えると何か変化するというものではありません。

マントラは瞑想するときに頭の中で唱えるものです。

瞑想するときの一種の道具です。「雑念」を際立たせるための一つの工夫です。

例えば、綿アメを作るときに浮遊している綿アメを絡め取るために割り箸を回しますが、マントラはその割り箸のようなものです。浮遊している雑念（綿アメ）をマントラ（割り箸）で絡め取るのだとも言えます。

マントラの音《おん》は、赤ちゃんのときの自分の泣き声と同じ音

いろいろなマントラがありますし、それらは特定の宗教に結び付いているものもあります。瞑想は科学ですので、ここでは、どんな宗教にも無関係な「M《エム》マントラ」を使ってお話をしましょう。

「Mマントラ」とは、私が世界中の100以上のマントラから、コンピュータを使って製作した中立のマントラです。「正中《メディアン》マントラ」ともいいます。Mマントラとは、「オーン、ナーム、スバーハー」です。

みなさんもお気づきだと思いますが、「オーン」「アーメン」「南無」等は、いずれも同じ音が入っています。発音記号で書くと、「AUM」でしょうか。

これは、瞑想がとても深くなってきて、頭の中でその音だけがしーんとした奥深い空間に意識されたときにはっきり分かることですが、実は、自分が赤ちゃんの時に「あーん、あーん」と泣いていた声を内側から聞いた音そのものです。その響きです。内側から聞いていますから、少しくぐもって聞こえますが、自分の泣き声と同じ音なのです。

人間の赤ちゃんは人種にかかわらず、音階では一律「ラ」の音（880ヘルツ）で泣くと言われています。そして誰でも、生まれて初めて聞くその「音」を認識して覚えます。それが「AUM」なのです。

頭は、その音に反応する脳細胞の場所をすぐに確定します。まず基点を作るわけです。そして、その音とは違う音を「違う音」だと認識し始めます。次第に多様な音が識別、理解されるようになります。それらの音のつながりは言葉になっていきます。言葉のつながりは思考になっていきます。

このように、脳の中の思考中枢が拡充・拡大していきます。ですから、思考中枢の中心はどこかといえば、「AUM」に反応する脳細胞のある場所だというわけです。

瞑想でマントラを唱えることは、その思考の中心へ中心へと進んでいることになります。私は、このことをよく「思考中枢の中心を叩《たた》く」と言ったりします。

ちなみに、「スバーハー」は、鼻息の擦過音《さつかおん》を内側から聞いた音です。「ぎゃーてーぎゃーてー」は、「おぎゃーおぎゃー」と元気に泣き叫んでいる自分の泣き声。これらの生後まもなく出会う音は、いずれも思考中枢の中心付近に、それらに反応する脳細胞が設置構築されていきますので、それらの音を含んだマントラなら、瞑想の効果が上がるといえます。

瞑想するときに、どのマントラを使っても構いませんが、もし、どれを使うか迷っているならこの「オーン、ナーム、スバーハー」という「Mマントラ」を使って瞑想を始めてください。瞑想時における
マントラの上手な唱え方については後述（p73参照）します。

ゆっくり吸って、ゆっくり吐く。「腹式呼吸」をマスターする

瞑想を深くするためには、15分間くらい極めて静かに座ることが必要です。そのためには「腹式呼吸」をする必要があります。その理由を説明しましょう。頭の中を静かにさせるためには、音や光など五感からの外部刺激を頭に与えないようにすることも大切です。また、頭の内部もなるべく思考作業をさせない方が良いのです。

頭は、手足等の筋肉（「随意筋」）を動かすための「思考（＝随意筋作動思考）」もしています。随意筋を動かし続けていると、随意筋作動思考が止まりません。頭は静かになりません。

この「思考」をなくすには、すべての随意筋の動きを止めれば良いわけです。そのためには、瞑想では微動もせずに静かに座ることが大切です。有利です。極論すれば、呼吸も止めて瞑想する方がより有利なのですが、呼吸は止められません。では、どう

するか。

日常、私たちは随意筋による呼吸（＝胸式呼吸）で生活していますが、瞑想するときは、随意筋の使用が最も少ない呼吸（＝腹式呼吸）に切り替えます。

胃腸など意識的に動かせない筋肉を「不随意筋」といいますが、腹式呼吸は不随意筋でもある横隔膜を使って呼吸するものです。腹式呼吸に切り替えると頭の随意筋作動思考が極めて軽減されるので、瞑想に向いているわけです。

腹式呼吸が自然にできるようになったら、長く吸って長く吐くようにしましょう。瞑想が上達してくると次第に長くなりますが、最初は「意識して」長くするようにしてみてください。より静かな腹式呼吸の練習になります。

次は「丹田《たんでん》呼吸」に挑戦してみる

長い呼吸が良いのですが、初心者は思ったようにお腹が膨れませんので、かえって息苦しくなったりします。慣れないうちは無理をしないでください。

最初はお腹が硬いのでスムーズに膨らみません。慣らすためにはこうします。腹部一杯息を吸ったら、一度そこで息を止めて、5から10秒くらい待ちます。その後また吸い足してみてください。おそらく、30から100ccくらいは追加で吸入できるはずです。そこで、またしばらく息を止めて吸い足すとさらにもう少し吸入できると思います。そのようにして、少しずつより多量に吸えるように慣らしてください。

目いっぱい吸っている状態なのにさらに吸い足せる理由は、息を止めている数秒間に小腸などの内臓が適宜移動して収納の調整が行われるからです。まるで、これ以上は詰められないと思われる満員電車でも、しばらく走行して揺られていると次第に人と人との間に空間ができるようなものです。こなれるといってもいいです。小腸などのすべりが良くなるとラクに大きく呼吸ができるようになります。

腹式呼吸が充分できるようになったら、今度はさらに深い腹式呼吸、つまり、丹田呼吸の練習をしましょう。

最初は、みぞおちからヘソまでの腹部（ヘソから上の腹部）に手を押し当てて、そこを膨らませないようにして腹式呼吸をしてみてください。丹田（ヘソから下の腹部）だけで呼吸ができます。

どこをどのように膨らませるのか自分の腹筋等の使い方が分かったら、今度は押さえつけていた手を外して腹筋だけでヘソから上の腹部を固定し呼吸してみましょう。それが丹田呼吸になります。

呼吸の練習は瞑想中だけでなく、日常でも呼吸に意識を向けられる時間があればいつでもどこでも練習できますので、忘れないように励んでください。きっと「気分が良くなる」「血行が良くなる」等の副次的効果にも驚かれると思います。

2　瞑想中の「アタマ」の中を探る

睡眠防止に「印《いん》」を結ぶ

「印」を結ぶとは、前述（p38参照）のように親指と人差し指で輪っかを作ることです。それを膝の上に置きます。上向きでも下向きでも構いませんが、ポイントは指先を軽く合わせることです。

これは瞑想中に睡眠に陥りそうになるのを防ぐ工夫として開発されたものですが、長い歴史の間にその意味が分からなくなったのだと思います。形としては残っていますが、印の本当の効用を私に説明してくれた人も書籍もありませんでした。しかし、印を結ぶことは、瞑想中の「睡眠防止の工夫」だと私は解釈しています。

実は、人間は眠くなってくると、頭が肉体に指令を出すことが少なくなってくるので、印を結んでいる指の筋肉にも、指令がだんだんと行かなくなってきます。すると、指の筋肉が緩んでしまい、その輪っかが思わず開いてしまうのです。その時、人差し指と親指の先の皮膚が離れてしまうので、その離れるときのわずかな皮膚の感覚が、信号として頭に伝わるのです。

まだ、肉体との神経信号のやりとりを完全に遮断していませんから、その時「あっ」と気がつきます。つまり、指先が離れたことを知覚できたわけです。眠りそうになり、印が解けたので、その皮膚感覚の刺激の信号で気がついたわけです。

瞑想は眠ってしまっては瞑想になりません。ですから、決して眠ってはいけません。印を結ぶのは、このように瞑想中に眠らないようにするための工夫です。

もし、とても眠いのであれば、瞑想するのは諦めて布団を敷くか、ベッドに横になって、まずは充分睡眠をとりましょう。そして、睡眠から起きて眠くない状態で、もう一度瞑想しましょう。その方が瞑想は早く上手くなります。

瞑想の形で座ったまま昼寝をするクセをつけると、何年も何十年もいつも昼寝をしているだけになってしまうので、当然ですが、瞑想は全然上達しません。昼寝はたぶん上達します。

「では、眠れないようにすればいいだろう」と、もし眠ってしまったら前の段差から下に落ちるような危ないところで瞑想してみるという工夫を例えばしたとします。つまり、瞑想中に眠ったら危険だと頭に思わせて睡眠防止を図ろうというわけです。一見良さそうですが、このような「危険」な状態では頭はそのことを忘れるわけにいきませんから、いつまでも「何も考えることがない」状態に進めません。確かに眠らない工夫にはなっていますが、瞑想を深くする工夫とは逆になっていますので、瞑想は決して上達しません。

また、もし眠ってしまったら先輩か誰かに肩などをトントンと叩いてもらって目を覚ませて、それから再び瞑想を続けるという工夫を例えばしたとします。しかし、その工夫も肩を叩かれたら目を覚ますという訓練にはなりますが、そもそも眠りに落ちないという訓練にはなっていませんので、やはり瞑想は上達しません。

瞑想するには、思わず眠くなるくらいの静かな暗い環境、快適な空調や、安心できる状態の方が好ましいのですが、でも、何度も言いますが眠ってはいけません。眠っては瞑想になりません。

マントラは、雑念払拭《ふっしょく》の助け船

マントラを唱える目的は、「雑念の整理促進」です。

上手な瞑想のためには、まず頭の中をキレイにする必要があるのですが、最初、頭の中はさまざまな懸案事項や、心配事や、期待や、アイディアなど（＝それらの思考対象をまとめて、「雑念」と呼びますが、その雑念）で溢れています。それらの混沌《こんとん》とした雑念を整理するための手段として、マントラを唱えるのです。では、なぜ、マントラを唱えると雑念の整理促進になるのかを説明します。

マントラは単純な音の繰り返しなので、マントラを唱えていると頭は次第に飽きてきます。

最初は頭も珍しがるのですが、すぐに覚えられますし、覚えてしまえば意味もない単なる音の繰り返しです。誰の頭も、慣れて飽き飽きしてきます。

それでも我慢してマントラを唱えていると、ついに頭は「こんな退屈なマントラを唱えているより、もっと大切なことがありますよ。さっきの電話はどういう意味か考えた方がいいんじゃないですか」などと、マントラより他の「思考する対象」（他の雑念）を持ち出してきます。

瞑想の第一段階は、持ち出されてきた思考対象（雑念）に対して「今は、瞑想中だから、それは後で考えよう」とその考えをやめることです。それがうまく行けば、また、マントラを唱える作業に戻れます。

ですが、一度うまくマントラに戻れたとしても、しばらく唱えていると、頭はまたすぐに退屈して、「そんなマントラより、例のお金を払ったのに品物が届かないのは、どうするんですか。こっちの方が大切ですよ。これを考えましょう。連絡した方がいいんじゃないですか」などとまた、頭にとって重要だと思っている別の案件（次の雑念）を持ち出してきます。それに気がついたら、それもすかさず棚上げしてマントラに戻ります。

そしてまた唱えていると、例えば、「試験にもし落ちていたらどうするんですか、また、トライするんですか」などと、頭が気にしている次の案件（雑念）を持ち出してくるので、それもまた棚上げにします。そしてマントラに戻る。

するとまた何か次の雑念が出てくる。会社のこと、仕事のこと、家庭のこと、健康のこと、お金のこと、疑問なこと、心配事といった、ありとあらゆるもの（雑念）が出てきます。それらの雑念を片端から棚上げしてマントラに戻る。瞑想の第一段階は、その繰り返しです。

瞑想中に一度棚上げした案件は、普通はもう一度出てくることはありません。このようにしてどんどん棚上げしていくと、だんだん「案件」(雑念)が出てこなくなり、ついには底をついて考える対象が何もなくなるという仕組みです。

とにかく、マントラに意識を集中する

マントラという至極退屈なものを唱えていると、頭がそれより重要だと思っている案件(雑念)を次々に持ち出してくれるわけです。ゆえに、雑念の片付け作業が効率的になるというわけです。

試しに、マントラなしで目を瞑って、出てきた雑念を片付けようとしてみてください。「早く雑念が出てこないかなぁ」と待っていても、雑念はなかなか出てきてくれません。実はこれは、頭が「早く雑念が出てこないかなぁ」という思考に集中しているために、その他の雑念が出てこられないわけです。

つまり、良い瞑想のためには、マントラなしで瞑想するより、マントラを唱えていた方がいいのです。しかもそのマントラはなるべく「退屈な」マントラの方が良いわけです。頭がマントラに集中していても、すぐに退屈になって集中が途切れてしまいやすいので、その隙間に「雑念」が出てくるという仕組みです。出てきた雑念を次々に片付けていくと、雑念の在庫がなくなってついに「空」になってしまうというわけです。ですから、雑念を整理して頭の中をキレイにするために、マントラを唱えることは、非常に効率が良いことなのです。

指導としては「マントラに意識を集中しなさい」と言うこともありますが、そもそも、意識を集中させることの難しいマントラに、ずっと意思を集中するのは、無理です。

その無理を承知で「マントラに意識を集中させなさい」というのは、初心者は、出てきた「雑念」を追いかけ回すことが多いからです。

「あっ、いいことを思いついた。ちょうど、今、目を瞑っているから考えるのに絶好の機会だ。だから、ちょっと考えてみよう。ええと、あれを、こうして、ああして、こうして、そして、そうだ、あれもああした方がいいな。そして、ああして、……」

などと、いつの間にか雑念を膨らませてしまうのです。

このように出てきた一つの案件（雑念）にとらわれてその案件（雑念）を膨らませていては、瞑想にはなりません。考えを膨らませていては、片付けるどころではなく、単に目を瞑って、頭の机上にさらにデータの山を築いているだけのことになってしまいます。

雑念の整理は次のステップへの第一歩

「雑念」を片付けるのが最初の大切な作業ですから、浮かんできた雑念をすかさず取り上げて棚上げします。「棚上げ」とは考えたり検討したりすることを「保留する」、あるいは「先送りする」などと言ってもいいでしょう。

本当は考えないようにしたいのですが、「考えないようにしよう」とか「忘れよう」という提案では頭は受け付けてくれません。そこで考えないわけではないが、優先順位を変えて「先送りしよう」「後回しにしよう」というわけです。それなら頭もしぶしぶ納得します。表現はどうであれ、とにかく、頭をその考えの対象からマントラを唱える作業に戻すことです。

頭にとってマントラは一番優先順位が劣るものです。それゆえ、マントラより優先順位の高い案件はすべて探し出して、意識の上に持ち出してきます。それをどんどん棚上げして片付ける。とても効率のよい片付け方です。雑念で溢れていた頭の中がいつの間にかキレイに片付いている状態になるのです。

この素晴らしい工夫を思いついた古代インドの人々に、私ならノーベル賞をあげたいくらいです。それほど素晴らしいノウハウだと思います。

瞑想に適した姿勢

瞑想に集中するためには、座った姿勢が一番適しているでしょう。瞑想を効率良くするには、外部からの音や刺激が来ないほうが、また、自分の身体からくる刺激や情報も少ない方が良いのです。その方が、頭の中の片付け作業などが進みやすいのです。

そのためには身体を動かさないことですが、しかし、一番身体を動かさない体勢がいいのだろうと横になってしまっては睡眠に入りやすくなってしまいます。

「瞑想」は「睡眠」ではありません。眠り込んでしまわなければ、横になって瞑想しても良いと思う方もいるかもしれませんが、普通は横になったら眠るものだと毎晩の習慣で頭がそう思っていますから、「いえ、いえ、今は睡眠ではなくて、瞑想をするんです」と言ってもなかなか難しいものです。

また、座ると背筋がまっすぐになり、そこを通っている神経の負担も少ないので、その意味でも座って瞑想するのが一番適した姿勢だといえます。

瞑想するには、「立つ」のでもなく「寝る」のでもなく、「座る」のが一番です。

瞑想中の頭の中とは？

瞑想のやり方をお話ししていますが、外から目に見えることはわりと簡単に説明できます。しかし、瞑想で一番大切なことは頭の中で、何をどのようにしているかです。

瞑想の最初のポイントは、自分の思考が動く様子を観察することです。それを「観《かん》照《しょう》」といいます。簡単な第一歩なのですが、この一歩こそが大切なのです。

それさえできるようになれば、瞑想は迷うことなく上手になっていきます。

人間の「思考」はさまざまな「欲」で動いていますが、その欲で動いている「思考」を「牛（欲牛）」にたとえて分かりやすく説明してみます。あれこれ考えてくれている自分の「思考（頭）」を「牛（欲牛）」に見立てて、十段階に順に並べると次のようになります。

1　**もともと主人に従順な楽しい牛がいる。**
（主人＝自分、牛＝思考する〝頭〟）
↓

2　**牛は物を覚えていく。**
（〝頭〟は学習して、それをプログラム化する）
↓

3　**次第に牛が勝手に動くようになっていく。**
（〝頭〟は獲得したプログラムに従って一人歩きを始める）
↓

4 **すると主人が不要になる。**
（自分の本意と関係なく、〝頭〟は勝手に思考するようになってしまう）
←
5 **自分の人生が自分の人生でなくなる不幸の始まり。**
（自分の本意に反した思考や行動をとるようになってしまう）
←
6 **そこで主人に返り咲くための工夫をする。**
（〝頭〟を自分の本意に従わせる作業）
←
7 **牛を注意深く見張って勝手に動かさないようにする。**
（〝頭〟が勝手に動く様子を観察する〈観照〉）
←
8 **今は不要となったプログラムは捨てる。**
（現在の自分の本意で判断できるようにする〈再解釈〉）
←

9　するともともとの楽しい牛に戻る。
（自分に従順な本来の〝頭〟に戻る）
↓
10　牛も自分も天国に居る至福を味わえる。
（自分も〝頭〟も同じ幸福感に浸れる）

つまり、「牛」＝「頭（思考）」は本来の自分ではないのですが、いつの間にか、同化してしまっています。

瞑想は、その「牛」（＝本来の自分ではない「頭（思考）」）を客観的に観察（観照）し、また、本来の自分を取り戻せることのできる優れた行為ということなのです。

瞑想のツボ、「観照」をマスターする

自分の考えていることが、自分で分からないという人はいないのですが、自分が次にどう考えるかを意識している人は少ないのです。考えは勝手に走っています。

例えば、「宝くじが当たった人をテレビで観て羨《うらや》ましいと思ってしまった」という場合でも、羨ましいという思いに行くことが無意識になっているわけです。自動反応になってしまっている。

「自分を馬鹿にした言葉を言われて、腹が立ってしまった」という場合でも、腹が立つという思いに行くことが無意識になっているわけです。自動反応になってしまっている。

「素晴らしいと褒められて、嬉しくなってしまった」という場合でも、嬉しくなるという思いに行くことが無意識になっているわけです。自動反応になってしまっている。

「成績が悪くて、もっと頑張らなければならないと辛い気持ちになった」という場合でも、頑張らなければならないという思いに行くことが無意識になっているわけです。自動反応になってしまっている。

このように思考が自動的に動く様子を観照することが、瞑想の手始めです。

道徳的、社会的に、「良い思考」をしているのか、「悪い思考」をしているのかを、見つけるのが目的ではありません。

瞑想では、どのような思考でもその思考が勝手に進んでいるのを見逃すのが「悪い」ことです。つまり、「自動反応にさせている」ことが「悪い」ことです。それらの思考が走っていることを知っている、観ている状態ならそれは「良い」ことです。「良いことを考えていても、悪いことを考えていても」それも、単に自分の持っている判断のプログラムによって良い悪いと自分で判断しているだけで、時代や場所や育ちが違えば判断が変わることですから、何ともいえないものです。

観照の要点は、自動反応を放置しないことです。もう一度言うと、その「考え」が、どんな考えでも「自動反応になっている」のが「悪い」ことなのです。

また、「自分は考えている」と思っている「自分」は、プログラムに従って考えていますから、そのプログラムが「A」なら「A」のように考えるし、「B」なら「B」のように考えるということです。それは、「自分」ではありません。ですから、「A」や「B」に、「自動反応」していたのでは、嘘の自分になってしまいます。それをやめれば、本当の自分ということになります。

しかし、実際には思考を観照するといっても頭の中のことですから具体的ではありません。分かりにくいものです。そこで思考とは何か、頭の働き方とはどんなことか、それを少し説明しておきましょう。

「頭」が見せているもの

「見える」とはいったいなんでしょう。

例えば、迷彩色の鳥が、ジャングルの木に止まっていても、それと知らなければ分かりません。「あそこの枝に鳥が止まっているの分かる？」「えっ、どこ」「あそこに目があるでしょ。それで、全体は左を向いてるの。分かる？」「あっ、本当だ。まったく気がつかなかった」と、先ほどまでは見えていなかった鳥の姿がいきなり見えたりします。

しかし、よく考えてみれば先ほどと今と光の具合が変わったわけではありません。視覚の意識の仕方が変わったのです。だから、鳥の姿を認識できたのです。

もう一例挙げましょう。

よく、３Ｄの絵がありますが、それをじっと見つめていると、突然立体に見えてきます。「へー、きれいだねぇ」と言ったりしますが、これも絵が変わったわけではありません。

また、ホースを見て、蛇だと思い込んだら、びっくりすることになりますし、逆に「蛇」なのに「ホース」だと思っていると単なるホースにしか見えません。これは、目が開いていても実際に頭に見えているものは、そこに現実にあるものではなくて、頭が情報処理をしてこれは何々だと認識した映像を見ているのです。

例えば、眼球がテレビカメラだとすると、頭はそのカメラから得た情報を元に編集されたビデオモニターを見ているといえます。そしてそこに映ったものを「自分は本当に見ている」と思っているだけです。

頭が脳裏に見せてくれているものは、頭が「眼球・網膜」という物理的に「光」を捕捉する器官から変換して得た神経伝達情報を「再構築ソフト」の入った「変換機」のようなもので頭に認識できる一つの「画像」に再構築した後のものを「映写」したものです。認識されるまでは、頭にとっては単に極彩色の光の渦であって、何も見えていないのと同じです。

もし、この「変換機」から脳裏のスクリーンに何も「映写」されなかったら、たとえ物理光学的に眼球が光を捕捉していても自分では何も見えないことになります。逆に、実際は物理光学的に何も見えていないのに、この「変換機」が脳裏のスクリーンに何かを「映写」すると「夢」や「白昼夢」のように自分はあたかもそれを見たように思います。

これは目だけではなく、耳・鼻・舌・皮膚から三半規管まで、感覚器官全部について同じことが言えます。すべての外部情報は一旦神経伝達情報に変換され、それらの情報が脳に伝わり、脳にある「再構築ソフト」によって再構築されたものを認識しているのです。

頭がしゃべっている言葉は、自分の考えではない

頭は言葉を使って思考しています。

頭がしゃべっている言葉は思考に使用中の言葉です。頭がそう考えたからと言って自分がそう考えたわけではなく、そのような言葉のつながりも考えられますよ、選択肢としてありますよという、いわば言葉の羅列です。

その中から、頭は過去に学習したことなどを勘案しながら、適当な文脈を選択して

つくっていきます。しかし、それは、あくまで頭が作業としてあれこれ作り出しているセンテンスであって、決して自分の考えではありません。

この頭が連想で語句やセンテンスを紡ぎ出すスピードは、相当早くて多量です。連想ゲームというのがありますが、言葉に出しているのは、その連想されて頭に展開された多くの語句の中のひとつです。

例えば、10個連想されたとしても、9個は不合理だと瞬時に捨てられて残った1つが引っ張り出されるわけです。素早い連想をしていますから、それくらい展開される語句は多いのです。

つまり、自分の考えたような文章でも、実際は頭という機械が関連記憶データをまるでトランプ札をシャッフルするように高速でシャッフルして、それを適当に紡いでセンテンスにし、文章を組み立てています。こんな組み合わせもある、あんな組み合わせもあるということです。自分の考えのようですが、単なる順列組み合わせの結果の様相を呈しているともいえます。

「頭」が考えていることは、決して「自分自身」ではない

頭がこのように勝手に活動してくれるから、いろいろな考えができます。この働きを一概に悪いと決め付けてはいけませんが、しかし、このことを忘れると頭が勝手に紡ぎ出したいろいろなセンテンスをまるで自分自身が考えたような気になります。

最低限このことを覚えておいてください。頭はセンテンスを紡ぎ出す機械であって自分自身とは違います。

この頭の作業は、一見、熱心に思考をしているように見えますので、いつしか、自分はこの頭に同化してしまって、頭が考えていることが自分の考えだと思ってしまいますが、それは考え方の方向や味付けを変えればいくらでも百様にも変化するものです。もう一度言いますが、決して自分自身ではないのです。そのことに気がつけば、もう頭に勝手な行動をさせておくことは良くないことだとわかります。

ではどうやって頭に自分勝手なことをさせないか、という具体的な方法論になってくるわけです。その実践的な方法こそが瞑想なのです。

瞑想が上達すれば、自分の頭を勝手に気ままにやりたい放題にはさせないことがで

きるようになります。頭という強い牛の手綱を掴んだことになるのです。

さらに、瞑想が上達すると、頭が勝手に考えている様子を常時、観察（観照）することができる自分（＝本当の自分）が存在することの実感を得ることができます。

本当の自分は、ただ観照しているだけで、「考える」ことはしません。「考える」任務を負っているのは「頭」です。「本当の自分」が何か考えたいときは、「頭」を使って考えています。「頭」は思考や判断の任務や機能を果たす機械のようなものです。「頭」は「本当の自分」ではないのです。

3 不眠不休の「アタマ」

頭の一日の仕事

次に頭の働きを一日の流れの中で説明しておきます。瞑想は何をするのかという参考になると思います。この項は少し瞑想をやってみて頭の働き方に興味がわいてきたときにお読みになると、もっと面白いかもしれません。

①起床　セットアップ

まず、目が覚めると頭は毎日「自分は誰か」と「今はいつなのか」と「今何処にいるのか」をセットアップします。

例えば、旅行先のホテルで目覚めて天井の見慣れない模様が目に入って、しばらくして、「ああ、そうか、旅行していたんだ」と思い出した経験があると思います。その「ああ、そうか」と思い出すまでのわずかな時間ですが、その間、頭は、今日一日、自分の頭の使い始めとして、「自分・時間・何処（Who, When, Where)」をセットアップしています。

②全体のチェック

その次に、頭はすぐに、現在の懸案事項を自分の机上に展開します。心配事があればすぐに心配を始めることもあります。何（What）が懸案事項か、それを机上に並べます。机上から棚上げしたまま、記憶域に運ばれずに残った案件もまた机上に再展開されます。また同時期に頭と肉体との連携を確認します。動きの悪そうなところがあると、屈伸や振動を与えたりして連携を確認・調整します。

③日常の活動

一日の活動開始準備が整い、機能的に心身が立ち上がったら、頭はさっそく日々の作業を開始します。

それは、情報を受けてその情報に関連のある記憶や学習を思い出し、どのように行動するか決めて、その結果を知識として再び蓄積（準備）するという、一連のサイクルです。

そして「どのように（how）」という過程、プロセスの話になります。

情報の流れから言うと、それは外部からの情報が内部に伝わって、それらと記憶学習したことと照らし合わせて判断・行動し、さらに学習結果を保持するという流れです。

さらに細かくその働き方を眺めてみると、それぞれの過程は、Get, Hold, Compare, Moreという、「欲の4要素」で動いています。「得たい」「保持したい」「比べたい」「もっともっと」です。頭は「自分を第一に守るべし」という「欲の方向」に進む任務を担っています。

ちなみに、相対する方向には「愛の4要素」があります。通常、頭はこの「愛の方向」に進む任務を負っていませんが、理想は、愛の四要素から発して行動することなのです（後述：p175「智恵の完成」参照）。

④睡眠中の記憶収納

頭は一日に大量の情報を処理しています。その仕事を効率良くするために一時記憶域があります。頭の中に作業机があると思ってください。頭はその机上で、計算用紙やメモ用紙を使用しながら仕事をしているのに似ています。一日が終われば、それらの計算用紙やメモ用紙や写真やコピーなどが机上に溢れます。それらを机上のデータ類と呼びます。机上にデータ類が溢れると仕事がしにくくなりますから、睡眠中にそれらを整理整頓して片付けます。

「片付ける」作業過程を順に説明すると次のようになります。

（1）【データ類の拾遺】机上にあるデータ類を個別に拾い上げる。
（2）【データ類の分類】収納するものと、まだしないものに分ける。
（3）【データ類の索引付け】収納するものには索引をつける。
（4）【データ類の棚上げ】索引の付いたものは整理して移送用の棚に並べる。
（5）【データ類の収納】移送用の棚からそれぞれの収納先に収める。

この（5）の【データ類の収納】のところでやっと「机上」からデータ類が「記憶倉庫」へ、つまり、「一時記憶域」から「恒久記憶域」に運ばれます。「棚上げ」とは、「机上」から「記憶倉庫」に行く途中の段階の「移送用の棚に仕分けして並べる」ことです。

また、これらの作業の一環として（6）の【プログラムの生成】があります。学習したものは、プログラムとして手近に置いておく作業もしています。

さて、記憶とは、一日に取り扱ったデータを夜間睡眠中に一時記憶域から恒久記憶域に移動させる作業です。

その時、あとで容易に迅速に思い出せるようにするために、収納は整理分類された箇所に多重の索引を付して収納されます。この整理分類と、索引付与作業は睡眠中ではありますが「思考を担当する脳」である頭が関与します。その関与している時間帯は頭が昼間目覚めているときと同じくらいの活発な活動をしています。これがレム睡眠です（後述：p139〈効用9「熟睡できる」〉参照）。

「瞑想の実践」（実践瞑想時にする作業）とは、実は「机上」を片付けることです。データの拾遺、分類、索引付け、棚上げです。睡眠中に脳が作業していることとほぼ同じです。

ただし、（5）の【データの収納】は、生理的に自動的に行われますので、頭があれこれ考えることはありません。（6）の【プログラムの生成】については、次の項でお話しします。

幼い頃の脳内プログラムも変更できる

生まれたばかりの赤ちゃんには何も経験がありませんから、その意味では自ら獲得したプログラムは何もありません。次第に成長していくに従って、経験・学習したことを蓄積していきます。

では、「経験したこと」と「学習したこと」の関係をいいますと、「経験したこと」は「記憶」ですからこれは変更できません。でも、「学習したこと」は「解釈」なので後からでも変更できます。

例えば、幼い頃は「親の言うことを聞いた方が得だ」と考えて「親に服従すること」という行動指針、つまり「プログラム」を自ら学習して作ったとします。すると、小学校は従順な良い子で通していますが、中高生になってくると、「いつまでも、親の言いなりになっていてはたまらない」と、反抗期を迎えて「親に反抗」したりします。つまり、「親に捨てられては生きていけない」などの幼いときに作った解釈が成長とともに変わって「一人でも生きていける」になるなど、関連したプログラムも変更になるわけです。

普通はこのように幼児期を生きていくうえで必要な「プログラム」なり、「生きる方針」なりをとりあえず作成してそれに従って成長し、それが不要になったり、ぎこちなくなったりすると、解釈を変更してプログラムの見直しをします。

ところが、その見直し作業がうまくいかないと、「人に認められなければ生きている意味がない」とか、「愛されなければ生きていけない」などという考えをずっと抱えたままになり、一生そのプログラムから自由になれないという場合もあります。「幼児の目線」でとりあえず作ったプログラムは、その後の本人に悪影響を与えるものが多いので、「何だか苦しいなぁ。人生が面白くないなぁ」という不調を感じたら、何かそのようなプログラムを保持していないか疑ってみてください。もし、そのようなプログラムを見つけたら、解釈を変えるか、捨ててしまえば、人生は見違えるように軽やかになります。

幼いときに大急ぎでとりあえず作った「悪いプログラム」がいろいろとあっても、それが本当に「自分にとって毒」になってきたときに変更すれば間に合いますので安心してください。

その見直しや変更作業を効率良く実行したいのであれば、瞑想はすこぶる有効な方法です。なぜなら、瞑想が上達すれば、そのプログラムが成立した過去の「記憶」を遡《さかのぼ》って参照することができるようになるので、解釈の変更も簡便にできるというわけです。

瞑想中の脳は、活発に活動している

「思考」や「記憶」の仕組み、「プログラム」の成立、変更の方法は、瞑想が上達するにつれて次第にはっきり分かってきていましたが、では、それがいったい脳のどこで行われているのかについて、私は興味がありました。

そこで、ある時、光トポグラフィを使った脳の研究でわが国の第一人者でもある旧友の渡辺英寿自治医大教授に相談すると、「僕も興味ある。じゃぁ、光トポグラフィで計測してみよう。大丈夫、全然痛くないから」という話になりました。

日を経ずして準備が整い、さっそく、瞑想時の私の脳の活動状況を実際に測定してみることになりました。

光トポグラフィとは、非侵襲脳機能マッピングの新しい技術で、前頭葉、後頭葉などの脳の表面の44カ所を近赤外線を使って計測し、広い脳のどこでどのような活動が行われているのかを測定調査できる最新式の装置です。

私は、コンピュータに繋《つな》がっているヘルメットのようなその装置を頭にかぶって「痛くないと言っていたが、長く着けていると光ファイバーの先が結構痛い」と思いながら瞑想を繰り返しました。最初はその痛さが影響して、すぐにはいつものような瞑想にならなかったのですが、何度か繰り返しているうちに装着具にも慣れて順調になりました。そして、何回もの実験の結果、次のようなことが分かってきました。

①瞑想を開始してから、しばらくは、前頭葉が異常に活発な活動をする。
②その後、前頭葉の働きは極端に落ち、ほぼ活動していない状態になる。

③また、過去の記憶にアクセスしているときは、後頭葉の働きが著しく活発になる。

これは、光トポグラフィの計測データを表したグラフを見ても、そうはっきり分かるのですが、実感から言っても、それは合っています。

①は、マントラを唱えて、「棚上げ作業」を熱心にしている、「実践瞑想」のときです。
②は、机上のデータが片付いて、しーんと静かな「境地瞑想」の状態になった時です。
③は、これも「境地瞑想」のときですが、今まで思い出したこともないような小学校の渡り廊下のコンクリートの模様などを、ありありと思い出しているときです。

ということは、記憶を操作する部位は前頭葉にあり、古い記憶は後頭葉にあるようです。渡辺英寿教授は、その後、これらのことをヒントにさらに実験・検証して、「視覚記憶は後頭葉に存在する」という主旨の報告を学会で発表しています。

私での実験が少しお役に立ったことになります。また、これはまだ定説ではありませんが、私の感覚では、記憶情報は、一日単位で少しずつ後ろに移動させているよう

瞑想中の脳波の様子

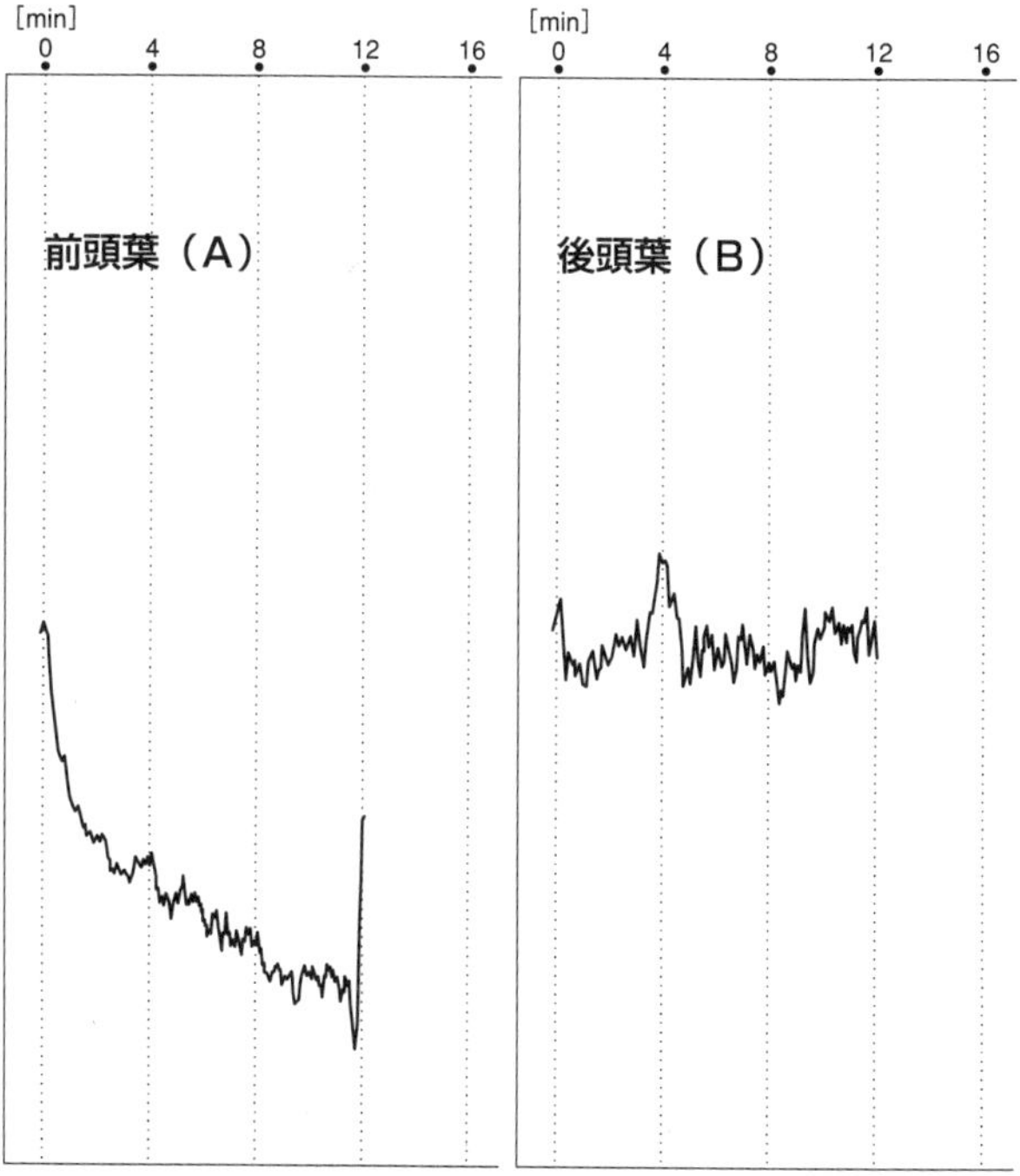

グラフは光トポグラフィの結果です。（A）は瞑想開始 4 分後、急激に右下がりになり、前頭葉の働きが減衰している様子を表しています。通常目覚めているときに、前頭葉だけがこのように減衰することはないといわれています。（B）は同時期に後頭葉が活発に過去の記憶にアクセスしている様子。両図から、瞑想開始 6 分経過後に、深層瞑想（p159）に入った様子がわかります。
「著者瞑想時の実験データ」より。

資料提供：渡辺英寿自治医科大学教授

に思えます。とにかく、詳しくは分かりませんが、記憶し続けるのは脳の凄い仕組みだと思います。

図にもあるように、境地瞑想に入ったときの前頭葉の働きの減衰は、光トポグラフィで明瞭に計測把握できました。これは外部からも見えるわけですから、便利です。光トポグラフィは、今はまだ高価で大きな装置ですが、将来、簡便で安価な装置になれば、それを使用することによって、瞑想の練習や指導がより効果的、より効率的にできるようになると思います。そして、さらに瞑想が普及すれば個人個人もより幸せになれますし、世界もより平和になると思っています。科学技術の一層の進歩発展を大いに期待しています。

コラム　超常現象のウソ②

修行すると、本当に空中浮遊できるようになる？

「悟ったら空中浮遊ができた。これがその写真だ」というのがあります。悟っても無重力にはなりません。合成写真や特殊撮影、CGならなんでもできます。しかし、空中浮遊は悟っても悟らなくても常識的に無理です。

ところが、私が深い瞑想をして野原に寝転んでいるときに、突然、『無重力』になったと錯覚を起こしたことがありました。その夜は星があまりに綺麗だったので、友達と一緒に野原に出かけて、仰向けに寝転がって星を眺めていました。満天の星空です。ちょうど真上がケンタウルスだったような気がしますが、「あの星まで、何億光年なんだよね」などと話したあと、腹式呼吸をしながらぼんやり見つめていました。どれくらい時間が経過したか忘れましたが、ふわっと無重力になって身体が浮いたようになりました。夜空に向かって落ちそうになったのです。危ない。「わわわあ」と慌てましたが、しばらくすると重力も戻ってきました。天地の異常（錯覚）も解消しました。そして、また、もとの普通の満天の星空に戻りました。

手に汗を握ったのは数十秒だったと思います。でも心底、怖かったです。私は、もう、あんな怖い「無重力」は金輪際《こんりんざい》、二度とこりごりです。もちろん1ミリも浮いてはいませんでしたが……。

瞑想の深い状態で、例えば、視覚関係の方に全部の意識が行っているときで、しかも、身体を寝かせているような状態では、おそらく、三半規管等のバランスを司る機能をないがしろにしているのだと思います。意識の集中の偏在ですが、そうなると重力が感じられなくなって「無重力」という感覚になるのだろうと思います。

例えば、長い時間、揺れる船に乗っていると陸に上がってもしばらくフラフラした感じがすることもありますが、これも、三半規管が船上では揺れをなるべく感じないように「海の揺れ」に合わせていたものを元に戻すまでの間の現象だろうと思います。

三半規管からの情報も視覚や聴覚と同じように一つの感覚（外部情報）です。脳の「再構築ソフト」によって理解認識されているのです（P84参照）。

3章

瞑想いいこと尽くし

1 脳が劇的にバージョンアップする

「脳」と「パソコン」は、性能が似ている

瞑想すると、頭が思考するために使用している机上がクリアーになり、リフレッシュされます。集中力、発想力、記憶力、企画力等さまざまな機能が格段に向上します。

そのことは、自分自身でも体感できます。

これは、パソコンでも同様のことが言えます。

例えば、PC上のデスクトップに多量のファイルやプログラムが存在していると、次第にパソコンの動きが鈍くなって性能が落ちてきます。

しかし、不要なファイルやプログラムをデスクトップから除去すればするだけ、パソコンはまたサクサクと軽快に動くようになります。これは、パソコンの本来の性能が向上したわけではありませんが、パソコンの作動負荷が減少したので、実際の処理

能力が向上したわけです。

「瞑想」による脳の機能アップは、画面上の整理によるパソコンの性能アップと同様なのです。

格段にバージョンアップする8つの効果とは?

脳の中で特に思考や判断、計算などをしている部分を「頭」(実際には前頭葉の部分)ということでお話ししていますが、その「頭」が思考作業をしている一時記憶域がすなわち「頭の机上」(デスクトップ)に該当します。その机上に不要なデータやプログラムが山積していると、頭も軽快に作動しなくなりますが、この机上がクリーンで低負荷だと、頭のさまざまな働き(①～⑧)が向上するというわけです。

次の順に、それらの能力がアップする理由も付け加えて説明しましょう。

①理解力　②集中力　③記憶力　④判断力

⑤洞察力　⑥発想力　⑦企画力　⑧交渉力

効果1　理解力がアップする

たとえば、「シャンデリア」という言葉を10回連続で言ってもらった後、「では、毒リンゴを食べた、おとぎばなしの主人公は」と聞くと、大概の人が「シンデレラ」と答えます。正解は「白雪姫」なのですが、頭の机上に「シャンデリア」というデータが山積みなので、それが影響して頭が「シンデレラ」を選択してしまうわけです。わずかこれだけのデータでも理解や判断を曲げてしまいます。

瞑想して頭の机上がキレイになると、理解力を阻害している多くの思い込みや、予見、偏見、こだわりが不在になるので、新しいことや複雑なことがすぐに理解されるようになります。

「そんなことはありえない」「そうに違いない」などと決めてかかっている頭は、どんなに丁寧な説明を受けても既成概念が邪魔して理解に向かえません。でも、そのような思い込みや頑固さや不要なデータがなくなると、物事は簡単にクリアーに理解できるというわけです。瞑想すれば誰でもそうなれます。

効果２ 集中力がアップする

「集中」は、瞑想の実践と同じで、思考があちこち自分勝手に動き回るのを手綱を引いて連れ戻し、一点に留めるという作業です。それゆえ、瞑想を練習すると自然に集中力がついてきます。

例えば、目を瞑ってマントラを唱えて、瞑想を開始すると、外部の自動車の音などの騒音が気になり始めることがありますが、マントラを唱えることにさらに意識を集中していくと、外部の音は次第に聞こえなくなってきます。聴覚の遮断です（なお、この仕組みを使って、生活雑音、特に話し声やテレビの音などを消す方法があります。後述ｐ１９３、Ｑ２〈瞑想ＣＤについて〉参照）。

また、何かの心配事や疑問が瞑想中に浮上しても、マントラに集中することによって、その心配事から意識をはずすこともできます。この意識をはずす行為が集中力アップにつながるのです。

瞑想が上達すると、全精神エネルギーを一つの感覚器官にほぼ集中（偏在）させることも可能になります。するとその感覚器官は、普段の何倍もの性能を発揮するのです。

効果3 記憶力がアップする

覚えていても、思い出せなければ記憶しているとは思えませんが、実は瞑想すると、この「思い出す力」が強くなるので、記憶していることならどんなことでも実にタイミング良く思い出せるようになります。

これは瞑想を開始した人が、最初に誰もが驚くことなのですが、特に懸案事項として覚えていることが、瞑想を始めるとすぐに、タイミング良く思い出せるようになります。

例えば、コンビニの前を通って「あっ、カットバン。買うのを思い出した」とか、郵便局の前を通って、「あっ、切手を買っておくのを思い出した」とか、「文具店の前を通って、シャープペンの芯がなくなっていたんだ」とか。

とにかく、以前だとタイミング良く思い出せなかったものが、例えば商店街を一通りさっと歩くだけで、自分でも驚くくらい必要なことが順次思い出され片付いていきます。思い出すというより思いつくという感じになります。思い出させてもらっている。買い物だけでなく、生活全般にタイミングが良くなってきます。

また、後述しますが、瞑想が深くなると古い過去の記憶も次々にすべて思い出すことができるようになれます。

脳が記憶を蓄積し始めた1歳くらいの記憶までリアルに思い出せるようになれます。3歳とか4歳の頃の記憶を思い出すのは特に楽しいものです。

その当時の目の高さで家の隅々まで探検できますし、近所のお店にも自由に行ってみることができます。駄菓子屋さんでガムの当たりくじをドキドキしながら開けていた自分の指先や、角の散髪屋さんの明るいブルーのタイルなど、どんな思い出も今そこにあるように生き生きしてキレイで、涙ぐむほど懐かしいものです。

脳の中はまるで当時のビデオが毎日毎日全部保管されているような、膨大な量の情報が詰まっていることが分かります。

みなさんも体験できるようになると、脳の記憶容量の凄さに驚かれると思います。

いつでも自由にその情緒豊かな思い出に浸れることは、まるで、専用のレンタルビデオ屋さんを自分の脳の中に発見したようなものです。自分の人生の膨大な記憶は何一つ失われることなく、自分とともに在ることが分かると、穏やかで豊かでこのうえなく満ち足りた気分になります。

また、そのような素晴らしい「過去のライブラリーの開陳・閲覧」を体験する人が、私の瞑想の方法によって、20代から80歳に近い人まで、老若男女関係なく続々出ています。ニコニコ顔で「お母さんに抱かれていた感触や匂いまで思い出しました」などと報告を受けています。本当に嬉しいことだと思います。

効果4 判断力がアップする

判断力を阻害しているのは、大概自分の「強欲」です（p170参照）。

それがなければ冷静にあるがままに状態を認識できますので、判断力が鈍るとか、狂うとか、衰えるなどは普通ありません。

例えば、A（正しい判断）とB（実は、間違った判断）の二つの選択肢があって、いずれかを選択しようかと迷った場合、自分の中に多少でも「欲」があると、その

「欲」に従って、「B」を選択してしまいます。

しかし、あとでそれは間違いだと気づいたとき、「ああ、あの時、欲を出さなければ良かった（Aを選択できたのに……）。Bはちょっと怪しいなとは一瞬思ったのだけど……」という感想になったりします。

最初から自分に「欲」がないか、もしくは「欲」があることにはっきり気がついていれば、「Bは、怪しい」ので選択しないことができるわけです。逆に言うと、悪徳商人とかに騙される場合の多くは、自分の方が「欲ボケ」状態になっているからだともいえます。

瞑想すると、自分の「欲」がなくなるか、もしくは、その自分の「欲」に気がついていますから、間違った判断することはなくなります。つまり、「欲ボケ」にならずに、正しい判断ができるようになれるのです。

また、自分の中に強力な欲を持っていると、生き方や人生についても自分で決断ができないという場合もありますが、瞑想すると素早く適正な判断に至ることができるようになれます。

「欲」を全くなくして判断することは、つまり「愛」から判断することと同じだからです。ですから、それは決して間違うことがありません。

（注）「愛されたい」は、「愛」ではありません。「愛されたいという欲」ですから、「愛」ではありません。混同しないようにしてください。私利私欲のない、無償の愛が本当の愛です。

効果5　洞察力がアップする

瞑想すると、素早く多面的に総合的に検討することができるようになるので、洞察力がアップします。

以下は私が銀行に勤めていたときのエピソードですが、例えば、そのような状態のときに電話がかかってきたとします。

「あっ、甲支店の、A君からの電話だ」と言って電話をとったら当たっていた。あとで、係長が不思議そうに「課長、どうして、A君からの電話だといって電話をとったんですか。それにその前の電話も、あっ、B君からだといって当たってましたよね。

不思議ですがいったいなぜなんですか。予知能力ですか?」と聞いてきました。

「いやー、偶然? まぐれ?」とテレながら答えておきましたが、実際は電話が鳴った瞬間に「あっ、あの、通達が届いたのだな。で、甲支店のA君は熱心だから昼休みに食事をしながらすぐに読んだのだろうな、そして、今回の通達は少々分かりにくいところがあるから疑問に思って聞いてきたのだろう。でも、昼休みでは私はいないかもしれないけど昼休み終了の5分前には、戻ってきて着席しているのを知っているから、それで、ちょうど、きっかりその時刻にかけてきたのだ。だから、このリリーンの電話はA君に違いない」などと考えて、「あっ、甲支店のA君からだ」と言ったのですが、それをわずか1秒くらいで考えることができるわけです。でも、それを長々説明しても何なのでその場では「まぐれ?」と答えておきました。

一瞬にして素早く多くの事象を多面的、総合的に考えられる。この「洞察力」は、相手が困ったり苦しんでいる場合ならそれは、「思いやり」や「優しさ」に昇華したりもします。

効果6　発想力が豊かになる

発想とは新しいアイディアを発案する頭の働きです。創造力や想像力も関係しています。

新しいアイディア発案の仕組みを詳細に観察すると、膨大な新しい組み合わせでできた多様なアイディアの中から、今まで思いつかなかったもの、珍しいもの、新奇なものを拾い出してくるという作業です。決して何もないところから単独でそのアイディアが出てきているわけではありません。

発想力を高くするには、多量にデータを取り入れていて、つまり、自分のストックとして保持し、しかも、それらの組み合わせを、既成概念なしに、多大に多面的に、フレキシブルに行い、その出来上がってきた新しい多くの組み合わせのアイディアを素早く取捨選択し、新奇なもの、珍しいもの、光るものを探し出すという頭の作業です。

整理すると、

①大量のデータのストック
②多大な組み合わせ
③迅速な整理、選択
以上3つの作業です。

これらの頭の作業が滞りなく円滑にスピーディに行われたときに、発想力が高まるのです。

「白い蛇が渦を巻いているのを見て、原子核のアイディアを得た」というようなノーベル賞もののアイディアを発想する場合も仕組みは同じです。

瞑想すると発想力が高まりますが、それは心の机上が広々しているため、この頭の働きのうち、②の「多大な組み合わせ」と③の「迅速な整理、選択」が効率的にできるからです。

しかし、①の「大量のデータのストック」は瞑想したからといって増えませんから、それは日ごろの学習、研鑽、調査、研究など、関連するデータの蓄積が必要です。何も勉強しない人はその元のストックが少ない分、組み合わせてできるアイディアも限られてきます。勉強や学習ももちろん重要ですが、案外、自分の専門分野以外の知識や雑学も、発想力には大切なプラスの要素だといえます。新しい発想ができると楽しいものです。

効果7　企画力がアップする

瞑想すると、企画達成のために必要なことを、多面的に自由にしかも深く早く検討できるようにもなれます。

また、大きな障害や難問が出てきても、いろいろな状況や、資源や、工夫を組み合わせて除去、回避、克服の対策が考えられるようになります。さらに、ほとんどのプランは一人ではできませんが、関連する多くの人々や、組織や、団体なども、抜かりなく、気配りができるようになります。

まとめると、企画力とは、

①多面的に検討できる

②さまざまな工夫を発案できる
③気配りが全方位にできる
ことですが、瞑想するとこの企画力がアップします。

聖徳太子（厩戸皇子《うまやどのおうじ》）は一度に七人の人が話していることを理解したので豊聡耳《とよとみみの》皇子《おうじ》とも言われていますが、それは彼の能力の一端であって、最大の能力はその驚くべき企画力なのだろうと思います。

その能力はもちろん生まれつきのものもあるでしょうが、私は、たぶん聖徳太子が瞑想の威力を充分熟知していて、また、いつも瞑想をしていたからだろうと思っています。

そして、聖徳太子が生前に住んでいた「斑鳩宮《いかるがのみや》」にあった「夢殿」とは、たぶん彼の個人的な「瞑想殿」であったに違いない、と私は推測しています。聖徳太子は瞑想の達人で、そこで随時、瞑想していた。物証はあるわけではありませんが、もしそうだとしたら、大いに納得できます。

効果8　交渉力がアップする

正しい交渉力とは、相手も自分もその交渉結果で得をすることが前提です。自分だけ得をするような交渉は交渉力ではなく、押し付け、ごまかしです。それは間違いなので、ここでは正しい交渉力の話をしましょう。

交渉力をアップさせるとは、実は、自分の側が得になるのは分かっていますので、相手に何を説得するかと言えば「この交渉で相手が得になることを誠実に伝える」ことです。

しかし、そればかり熱心に話していると自分側にどれだけの隠された得があるのか分かりませんから、それも明確に隠さず説明しなければなりません。自分側の利益も隠さず相手に伝えることも大切なことなのです。

つまり、

①自分側の得を明確に説明する
②相手側の得を明確に説明する

になりますが、その場合、その範囲を正確にするために、

①自分側の損を明確に説明する

②相手側の損を明確に説明する

ことも忘れてはいけません。

普段から瞑想をしていると、自分の得や相手の損を隠そうとする「頭」の欲の方向に走る自動的な働き方を見逃さないようにできます。ですから、事の全体を明瞭に、何も隠さず正直に相手に説明ができますし、自分も正確に理解することができます。

つまり、「交渉力をアップさせる」とは、正直で誠実な人間であることを証明するようなものです。

ですから、西郷隆盛のように正直で誠実な人物であると分かれば、何も詳しい話はなしで江戸城無血開城という大交渉すら成立してしまうわけです。正直で誠実になれば、交渉力が一気にアップします。

2 瞑想でできる心と体のメンテナンス

健全な精神があれば、肉体は自ずと健全になる

心が不健康だとそれに繋がる身体はなかなか健康になることができません。でも、瞑想して心が健全になると身体も自然に健康になります。

五感も繊細になります。まず最初に驚かれるのが味覚でしょうか。とにかく何でもおいしくなります。空気すらもおいしく感じられるようになります。

「健全な精神は、健全な肉体に宿る」というより、正解は、「健全な精神があれば、肉体は自ずと健全になる」だと思います。

実際、私の瞑想の方法で瞑想を始めると、わりとすぐに長年の肩凝りがなくなったり、腰痛が消えたりする人が多くいらっしゃいます。

また、内臓の疾患も改善、回復しますし、高血圧や糖尿病といった生活習慣病も治

る人が出ています。また、長年待ち望んでいた子宝に恵まれたという嬉しいお便りも頂きます。そのほか、長期にわたっていたウツ症状や、アトピー、喘息の劇的な解消事例もあります。アトピーや喘息などは、精神的な要因が存外大きいのだろうと思います。

またこうも言えます。

パソコンを購入しても、マニュアルを読まないで自己流に使っていると上手く使えません。パソコンが本来持っている機能や性能も発揮できません。また、無駄なことをしたり、さらには、パソコンを軽快に保っていくことをなにか阻害したりしかねません。

人間は学校で算数や理科や社会などは習いますが、自分の脳の使い方や仕組みを習うような授業はありません。いきおいそれぞれ自分勝手な自己流の使い方をしているというわけです。

すると、苦しまなくてもいいところで苦しんだり、悩まなくてもいいところで悩んだり、覚えなくてもいいことを覚えたり、その逆をしたり、脳の本来の性能を充分発揮しているとはいえない状態になります。また、メンテナンスも上手くなければ、益々調子が悪くなってしまいます。

パソコンを買ったら、パソコンの正しい使い方、メンテナンスの仕方を理解した方がパソコンのためにも、自分のためにも良いわけです。

自分のための脳を自分で持っているなら、脳の正しい使い方、メンテナンスの仕方を理解した方が脳のためにも自分のためにも良いです。

瞑想は、その正しい使い方を学習する方法ですし、また、同時に効率的なメンテナンスの実践でもあります。

ここでは、瞑想することによって気分が良くなる、幸せ感が増す、嬉しくなるなど、心と身体にいかによい効用をもたらすかを説明します。

瞑想の良さはもちろんですが、幸せとは何か、喜びとは何か、悩みやストレスとはそもそもどんな心の働きかなども、理論的に理解ができると思います。そして、それらの知識は日常での自分の心のチェックや調整にも有用だと思います。

ほかにもいろいろな効果がありますが、ここでは次の9項目を説明します。

①悩みが減る　②ストレスに強くなる　③優しくなる　④嬉しくなる
⑤よく笑う朗らかな性格になる　⑥クヨクヨしなくなる　⑦イライラしなくなる
⑧健康になる　⑨熟睡できる

効用1　悩みが減る

悩みは頭に余裕がなくなってきた状態で起こります。小さなことでも簡単に処理できなくなってきます。処理できないことが山積みになってくると一つ一つはたいしたことでなくても、さらに、頭の中は窮屈になってきます。大きなことも、小さなことも片付かなくなり、頭は常時「考えかけの思考」を抱えたままになります。

そこに、また新たな案件がやってくると、それらのメモやファイルの上にさらに重ねて置いてしまうことになります。

頭の机上がキレイならあっという間に片付くことでも、山積みで片付けられず、さらに悩みが増加するというわけです。

瞑想して、それらの机上のものを片付けて、考えるスペースに余裕があれば、新しい案件がやってきても楽々と処理することができます。しかも、多面的に考えて創意や工夫も付け加えて楽しくその案件に取り組むことができます。

人間の能力は誰もそんなに違いませんが、「机上」がいつも満杯の人と「机上」がいつもキレイに片付いている人の使用可能なスペースは随分違います。また、同じ人でもキレイになっているときとそうでないときでは、10倍も100倍もその使用可能スペースは違います。

瞑想すれば、いつも「机上」をキレイに片付けることになりますから、余裕が出てきます。心に余裕があると、同じ案件でも「悩ましいなぁ」「苦しいなぁ」という感想から「チャレンジし甲斐がある」「おもしろい」に変化します。心が前向きで元気になっているからです。従って瞑想すると悩みが劇的に減ります。

効用2　ストレスに強くなる

ストレスに強くなるには二つの方法があります。ストレスに対する「耐久性」と

「免疫性」の向上です。瞑想すると、両者とも高くなります。

前者は、頭の机上に余裕があるため少々新しく追加のデータが来ても受入れが可能だからです。「データ積載能力」が高い。

後者の理由について説明します。「ストレス」とは、何かがやってくるとそれを「嫌だ。きらいだ。避けたい」と拒否することによって起きます。

蟻や毛虫に始まって、嫌な臭いや、音、振動、図柄などがあります。あるいは、嫌な部長や通勤ラッシュや試験などもあるでしょう。それらから自分を守りたい「緊張」です。

毛虫の嫌いな人は毛虫が近づいてきたら緊張するのは当然なのですが、緊張し始めるタイミングの遅速で随分気楽さが違ってきます。5メートル先にぶら下がっているのを発見して「キャー」と叫ぶのと「あっ、毛虫がぶら下がっている」と落ち着いているのでは消費エネルギーに差が出ます。指先10センチに毛虫が来ても「毛虫が歩いている」と落ち着いていることもできます。

自分に余裕があればストレスにはなりません。毛虫を例にしましたが、これはどんなストレスでも同じです。

余裕とは、至近距離ないしは緊急事態になっても素早くその場で対策が立てられるだろうという「自信」のことですが、それは自分の「データ処理能力」に余力があればそう思えるわけです。

瞑想すると誰でも「データ処理能力」が向上し「ストレス免疫性」が高まります。坂本竜馬は、剣の達人でもあったのですが、ある時、その竜馬を狙っている政敵の刺客達と、路上ですれ違いました。その時、竜馬は涼しい顔で抱いていた猫をあやしながら行き過ぎてしまいました。

刺客達が、

「えっ、今すれ違ったのは、りょ、竜馬じゃないか」

と気がついて急いで振り返りましたが、その時には、竜馬は風のように猫と共に消えていたという話があります。

心に余裕があれば、達人の域に達します。

効用3 優しくなる

「優しさ」は「思いやり」ですが、それは「人のことを思いやることができる」という心の働きがスタートです。

「相手の状況を把握できる」「理解する」「認める」「分かってあげる」「その人の気持ちになってみることができる」。それができるから、次に「優しくする」「慈しむ」「助ける」等が自動的にできるわけです。人のことを充分思いやることのできる人は優しい人だというわけです。

逆に、自分のことしか考える余裕のない人に優しさを求めても無理です。

つまり、人に優しくできる人とは、まずは、自分の心に充分余裕があって相手の心とほぼ同じだけの「考え」を、試みに自分の心の机上に展開してみることができる人であるといえます。

同情する、同感するよりもっと深く、仮に相手の人になり代わってみる。そのためには、大きな余裕スペースを必要としますが、瞑想すると、それが簡単にできるようになります。瞑想すると簡単に優しい人になれるというわけです。「なれる」というと、少しニュアンスが違います。「優しい人にしかなれない」という方が正しいでしょう。

効用4 嬉しくなる

瞑想すると毎日がなんとなく嬉しくなってきますが、これは何かが叶うとか、何かを手に入れたからというのではなくて、「嬉しさ」をすぐに忘れてしまう方の働きが減少してくるからです。

嬉しさは誰にも元々あります。根源的な嬉しさを誰でも持っています。そもそも、この地球に誕生して存在していることがとても嬉しいことです。そのうえ、何かが叶ったり何かを得たりすると嬉しくなります。それらの嬉しさがもしもいつも消えずにあったら、嬉しさはどんどん積み重なって毎日がさらに嬉しい状態になるはずです。

瞑想するとこのように嬉しい感情がどんどん膨らんでいきますが、何が嬉しいのですかと聞かれても「さぁ、なんとなく、とにかく嬉しいのです」としか答えられません。

それでは分かりにくいので「そうですね。ええと、とにかく嬉しいのだけれど、いったいなんでしょうか。生まれてこの世にいること。そしてあなたと一緒に、今、この地球に生きていることかな」などという曖昧な理由説明になったりしますが、実際には「嬉しくない」という気分の元がどんどんなくなっていくので、自然に「嬉しい」になってくるのです。

そして、最大級の「嬉しい気持ち」は、最大級の「感謝の気持ち」に繋《つな》がっていることを発見したりします。

効用5 よく笑う朗らかな性格になる

瞑想し始めるとこれは誰でもそうですが、屈託なくよく笑うようになります。新しい思考回路が開通しやすくなるからです。

説明はいろいろできますが、これは簡単に体験・実感できますから、皆さんも是非、瞑想してみてください。今までの2倍も3倍も笑えます。毎日が笑いに満ちてきます。

楽しいことや、可笑《おか》しいことに反応してすぐに笑えるのはもちろんですが、自分の「失敗」や、可笑しな「無意識の行動」などにも笑えるようになってきます。

例えば、外出して駅までの道をしばらく歩いてから、忘れ物に気づいたとします。「あっ、しまった。取りに帰ろう」と回れ右をして家の方向に歩み始め、数歩、歩いて「待てよ、もう取りに帰る時間がない」とまた、回れ右して一歩。「いや、やはり」「いや、遅れる」とその場で数回、前を向いたり後ろを向いたり無意識に繰り返してしまいます。

こんな時、瞑想して頭の机上が広くなっていると「あははは」と自分で自分を笑ってしまいます。頭と足との間髪を入れない連携に思わず「頭も足も、実によく働いている」と可笑しくなります。

また、自分の欲の観察がさらに上手になってくると「あっ、あはは、またこの欲を引っ張り出している」と頭の愚直な熱心さに思わずあきれて笑えるようになってきたりします。

どんな深刻なことも、それは単に頭にとって「深刻」なことだと分けて考えることができるようになってくるからです。

効用6　クヨクヨしなくなる

クヨクヨするとは「ああすればよかった」とか「あんなことをしなければ良かった」と過去のことを悔やんで、そのことに心がいつまでも執着してしまうことです。後悔は「変えられない過去をなんとか変えたい」と無理なことを考えている心の働きです。堂々巡りの状態になっています。同じ考えに執着して気分転換ができないわけです。

瞑想はどんな思考も「追わない」という練習をしますから、たとえ「堂々巡り」の思考が起こっても、すぐにそこから脱出することができるようになります。

しかし、この後悔の堂々巡りの仕組みは結構強力なので、瞑想がまだ上達していない段階では、捕まってしまうこともあります。瞑想中にうまく「脱出」できるように日常でも機会を捕らえて練習をしておくと良いでしょう。

すると、瞑想時にも短時間で簡単に抜けることができるようになります。その練習は別項にありますので（p152参照）、是非実践してみてください。

効用7　イライラしなくなる

「穏やかさ」の反対は「イライラ」ですが、瞑想するとイライラしなくなります。

例えば、交通渋滞で車が動かなくなると、普通イライラします。でも、イライラしなくても、渋滞が解消されるわけではありません。だとしたら、そうしない方が得なのですが、なかなかそうもできません。

でも、瞑想するとイライラする必要のないところでは、そうしないで過ごせるようになります。つまり、ほとんどいつも穏やかに過ごせるようになります。

イライラというわけの分からない感情があるのではなくて、イライラは実はよく観察すると極めて小さな怒りや、恐れ、不満や心配だったりします。

瞑想すると、それらの小さな心の動きがよく分かりますから、すぐに「これは、イライラする必要はない」と理解できます。普通そう理解した時点で、すぐにイライラは解消されます。

一日のイライラしていることの99％は取るに足りない小さなことですから、それらがなくなると平穏な毎日になります。もちろん、なにか緊急の事態が発生した場合には、頭は能力をフルに発揮できますが、その必要がなければ、寛《くつろ》いでリラックスした時間を長く楽しめます。

また、イライラを止める裏ワザがありますので、ここでお話ししておきます。「イライラ」は呼吸にも大いに関係があります。

「イライラ」し始めると、身体は自然に「緊張状態」になり、呼吸も浅くせわしくなってきます。自分がイライラしているのは気がつかないこともありますが、呼吸が浅くなっていることは比較的発見しやすいのです。それに気がついたら腹式呼吸に直してください。

たとえば「あっ、せわしい胸式呼吸になっていた。イライラしているからだ。イライラは99%不要なイライラなのだから、これもきっと不要なのだ。それはそうだ。イライラしてもしなくても同じだ。ではやめよう。どうやってやめるか。ええと、そうか、深呼吸して、腹式呼吸だ。ふーっ、ふーっ……。なるほどね、イライラが止まった」

と思いつつ、例えば、隣の車の中を見ると、イライラした運転手がせわしなくタバコをふかしている光景が見えたとします。「あんなに、タバコをふかしていると、健康に悪そうだなぁ」と周りを観察する余裕さえ出てきます。自分はさらにゆっくり腹式呼吸。すると、「ああ、いい天気だ」と、益々のんびりした楽しい気分になってきます。

効用8 健康になる

瞑想すると心が健康になります。心が明るく朗らかだと、不要な緊張や、過度の我慢、身体の酷使などがなくなるので、自然に健康になるわけです。

また、これは不思議なことなのですが、心が健康だと「免疫力」が相当アップします。少々のことでは病気にならなくなります。風邪も引かない。血液だけでなくリンパ液の循環なども良くなっているからだと思います。

とにかく、瞑想すると身体のあらゆる部分が人間本来の能力を取り戻すという感じです。逆に言うと、心を汚していたり、緊張しっぱなしにしていると、身体のあちこちが、固まったり、凝ったり、曲がったり、縮んだりするのです。

考えてみれば、身体は全部、頭からの神経で繋がっていますから、当然といえば当然かもしれません。

身体を健康にしたかったら、まず、心を伸び伸びと楽しく健康にするのが近道で、しかも、王道です。

実際、多くの人が私の瞑想をし始めることによって、長年わずらっていた心身の不調から開放されています。そして、その喜びと感謝のメールを次々にいただいております。とても嬉しいことだと思っています。

効用9 熟睡できる

瞑想すれば熟睡できます。また、瞑想を15分すれば睡眠時間が約2時間節約できます。

まず、熟睡できる理由を説明します。人間は睡眠中に頭の机上に積みあがった前日分の活動データ類を整理収納しています。瞑想すると、その整理収納作業が瞑想中に進みますので、睡眠中の作業量が少なくてすむことになります。それで熟睡できるわけです。というより熟睡したのと同じ目覚めになります。

ちなみに、眠いというのはほとんどの場合が頭の机上にデータ類が山積みになっている場合です。例えば、海外旅行などで知らない所を物珍しく回っていると、身体は疲れていないのに半日でもの凄く眠くなってしまった、という経験をお持ちの方も多いと思います。これも、新しいデータが急速に机上に山積みになったからです。

次に、15分間瞑想するだけで、なぜ睡眠時間が約2時間節約できるのかを説明します。

普通、人は睡眠中に約1時間半から2時間おきに約15分のレム睡眠の状態になります。レム睡眠とは、眠っていても眼球が活発に動いている状態からネーミングされたものですが、これは頭が活発に働いてデータの整理収納をしている状態です。

瞑想が上達してくると、このレム睡眠中に行う整理収納作業を、日中の瞑想中に進めることができるようになります。睡眠中では、約2時間おきにわずか15分しかその貴重な作業時間は得られないのですが、瞑想では、いきなりその貴重な15分を簡単に得ることができます。15分間瞑想するだけで、約2時間分の睡眠時間に匹敵します。

これは是非、自分で確かめてみてください。すぐに体験的に納得されると思います。

いかがでしたか？　瞑想の絶大な効用に驚かれたと思います。この素晴らしい効用を、是非、体験していただきたいと思います。

コラム　超常現象のウソ③

臨死体験ってホント？

臨死体験をした人の話があります。あの世のことは誰にも分からないことですが、臨死体験をした人は、まるであの世に行って見てきたようなことを言います。でも、その人は瀕死の状態であったのは確かでしょう、が死んだわけではありません。一旦死んでそれで生き返った人はいません。それは古今東西、不可能です。

では、いわゆる「臨死体験」とは何を体験したのでしょう。何を見たのでしょう？　西洋の人の臨死体験は「天国」に行きます。天使のいる美しい天国の園があったりします。東洋の人の臨死体験は「彼岸」に行きます。三途の川を船頭の漕《こ》ぐ船で行ったりします。同じ人間なのにどうしてあの世が違うのでしょうか？　何だかおかしい。

臨死体験とは、死にそうになって情報が何も来なくなった頭が「今、死にそうになっているけど、死とはいったいなんだろう」と必死でなけなしの手持ちの記憶を検索して、それを元に懸命に思考している状態の途中で、幸運にも目が覚めたということです。すると、西洋の人は「天国」の夢を見ていた状態と同じになりますし、東洋の人は「彼岸」の夢を見ていたのと同じ状態になるというわけです。

4章

上手な瞑想への近道

1 記憶域の整理整頓をする

頭の机上（脳内一時記憶域）をいつもキレイにする

瞑想の実践は、頭の机上（脳内の一時記憶域）をキレイにするのが目的です。するど、多くの良いことが起こってきますし、何と言っても次の段階である「境地瞑想」へ進めるようになります。

しかし、この片付け作業が非効率だとなかなか先に進めません。瞑想で集中力が保てる時間は一回に15分程度しかないので、時間を有効に使う必要があります。つまり、片付ける効率を上げる必要があります。効率を上げるにはポイントが3つあります。

①【元から少ない】机上に載っている物は少ない方が良い。
②【追加しない】片付け作業中に新たな物を載せないこと。

③【素早く片付ける】片付けるスピードが速い方が良い。

それぞれを順に説明しましょう。

ポイント1　元から少ない

頭の机上（脳内一時記憶域）に載っている物を少なくする工夫です。

同じデータでも「楽しいこと」や「嬉しいこと」は片付けやすい軽量データです。それゆえ問題はありません。しかし、「辛いこと」「苦しいこと」「心配事」などは、片付け難い重量データなので、日常の生活で作らない工夫をした方が良いというわけです。

「我慢する」とか「諦める」とかではなく、もともとの欲が起こらない工夫をすればいいのです。例えば、「感謝する」「愛する」「笑う」「肯定する」。これは、後述（p175参照）の「愛の4要素」ですが、それらを工夫して生活の全般に入れていけば良いわけです。

つまり、「欲の4要素」である「不満」「強欲」「執着」「比較」の逆のことをして生活すれば良いのです。そうすると、瞑想をするときに片付けに手間取る重量データが少なくなります。また、昨夜片付かなかったデータ類も持ち越しデータとして机上に再展開されていますから、そのようなデータも少ない方が良いです。持ち越しになりやすい、いわゆる「手強い思考」の対処の仕方は後でお話しします。

ポイント2　追加しない

片付け作業中に新たな物を載せない工夫をします。

誰でも片付けの作業中にせっかく綴じてあるファイルをバラバラにしたりしません。同じように、瞑想中には、何か「思考」の種が発見されても、それに、水をやったり、土をかけたり、陽に当てたりして、育ててはいけません。「思考」の種は多種多様にあると思いますが、種のままで片付けます。実際に行う作業は、「これは今瞑想中だから瞑想が終わってから考えよう」と棚上げすることです。

瞑想中に、新たな考えや良いアイディアを得たと思うこともあります。しかし、それも膨らませたり追求したりしてはいけません。とにかく、後で考えようと棚上げしてください。

大丈夫です。もし、本当に良いアイディアなら瞑想が終わっても、また、いつか必ず思い出します。どんなことも「後で考えよう」と、とにかく棚上げしてください。

ポイント3 素早く片付ける

片付けるスピードを速くする工夫をします。

瞑想中、何か考え（雑念）が浮かんできたら、素早く気づいてマントラに戻ります。例えば、「手紙に返事を書かなくちゃ」という「考え」の種がやってきたとします。瞑想がまだ上達していないうちは、「手紙に返事を書かなくちゃ。しかし、どう返事を書こうか。失礼になってもいけないし……あれこれ、あれこれ……おっと、思考が走ってしまった。マントラに戻ろう。棚上げだ。オーン、ナーム、スバーハー」などと気づくのに時間がかかるかもしれません。しかし、瞑想が上達してくると「手紙に返事……おっと、まずい、即棚上げ、オーン、ナーム、スバーハー」と、比較的早くマントラに戻れるようになり、さらに上達すると「手紙……おっと」、さらに上達すると「手?」、「t」というように、素早くマントラに戻れるようになります。

①「思考」、次に②「単語」の走り始め、③「音」が言葉に成り始めですぐに気付いてそれを手放し棚上げできるようになります。さらには、「思考」が起動しかかった④「気配」に気が付いてマントラに戻れるようになります。

瞑想が上達して片付けるスピードが速くなると雑念が膨らむ前に対応できるので、「思考」・「単語」・「音」・「気配」の順にロットが小さくなってきます。なお進むと瞑想の第二段階、つまり、机上の片付けが終わった状態（境地瞑想）に入れます。それは、おしゃべりな頭が不在となった静かなしーんとした別の世界です。

【補足】瞑想のニュートン算方程式

前述の「瞑想でデータを片付ける様子」を方程式で表すと、次のようにいわゆる「ニュートン算」*と同形の方程式になります。

$$S+mx-my<0$$

① Sは、机上の瞑想開始時のデータ残量（当初ストック量）
② xは、毎分増加するデータ量（増加量）
③ yは、毎分片付けるデータ量（減少量）

瞑想する時間（分）をmとすれば、約15分という限られた時間内に「机上のデータ」を片付ける必要がありますので（m＜15）となります。その条件下で、この式が成立すれば、「机上のデータ」はなくなります。これを、「瞑想のニュートン算方程式」と私は呼んでいます。つまり、元のデータを少なくし、追加しないで、素早く片付けることが大切だという意味です（(S)・(x) は小さく、(y) は大きくすること）。

＊ニュートン算……ニュートン算とは、例えば、「一定の割合で草の生える牧場に何頭の牛を入れれば、幾日で食べ尽くしてしまうか？」等という、増加と減少の関係を解くことができる方程式で、万有引力の発見で有名なアイザック・ニュートン（イギリス・1642―1727）が史上初めて関数（微積分）の概念を使って表したもの。後に「ニュートン算」と呼ばれるようになった。このニュートン算の方程式は、鶴亀算同様、工夫すれば算数でも解けるので、最近では、中学入試によく出る難問の一つの形式になっている。

2 手《て》強《ごわ》い思考をシャットアウトする

手強い思考を止める

瞑想を上達させるためには、片付け作業のスピードアップを目指さなくてはなりませんが、考え始めると簡単には止まらない「手強い思考」も中にはあります。

たとえば、①後悔　②心配　③怒り　④嫉妬などです。これらは考え始めるとなかなか止まらない仕組みがあるので「手強い思考」と言えます。

我慢したり、押さえつけたり、隠そうとしても、それを止めるのは難しいことです。我慢してはいけないと言っているのではありません。どのような悪い感情も、一時的には社会生活上においても我慢できないといけませんが、表面的な我慢だけしていては、いつまでもその悪い感情は解消されないことも理解しておかなければなりません。もっと根本から解消しなければならないのです。

瞑想の実践とは、頭の机上を片付けるのが目的ですが、短時間の瞑想中にどこまで片付けるのかといいますと、それが、たとえば、鏡であるならば鏡の表面についている塵やほこりを全部キレイにして、それから曇りもキレイに拭き取るというくらいの細密な作業をしたいわけです。そこにまるで「鏡」がないと思えるくらいキレイに磨く。しかもできるだけスピーディに。

ところが、①後悔 ②心配 ③怒り ④嫉妬などは相当大きなゴミ（手強い思考）です。表面的態度では我慢できたとしても、内部では、まるで荒馬が糞土を蹴散らしながら頭の机上を暴走しているようなものです。とても精密で繊細な「清掃作業」ができる状態ではなくなります。それでは瞑想が全然進みません。

しかし、その荒馬を止めるコツがあります。そのコツは瞑想を上達させるための方法としてだけでなく、日常でもきっと役に立つと思います。「手強い思考」が起こった時は思い出して活用してみてください。

手強い思考を止める1 「後悔」

瞑想中に、もし「後悔」の念が出てきたら、他の「思考」と同じように「後で考えよう」とまず対応します。しかし、相手はなかなか「手強い思考」なのでそう簡単には棚上げできません。

「あの時、○○すれば良かったなぁ。でも、これは後で考えよう」と一旦は棚上げしたつもりになっていても、すぐにまた「どうして、○○しなかったのだろう」と再びその「思考」が現れてきます。2回目、3回目と同じように棚上げしても、さらに同じように「○○すれば良かった」と同じ「思考」が出てきます。

そのような状態になると瞑想の片付け作業は進んでいるとは言えません。同じ考えばかり出てくるような場合は、「これでは私は瞑想ができていない」と自分で判断してその回の瞑想をやめてください。

そして、その「後悔」について鉛筆で紙に書き出し、どのように自分の考えが堂々巡りになっているのかを分析してみてください。後悔は「できない過去の変更を試みているから、堂々巡りになっている」ので、そのセンテンスがどこにあるのか、それを発見して適正な表現に直します。

例えば、紙に書いてみて、「○○すれば良かったのに……」という部分を発見したとします。これが後悔です。この文章を少し書き換えます。「○○すれば良かったのに……」を「○○しなかったから悪かった」に変更します。「良かったのに」という希望や仮定ではなくて「悪かった」という事実認識にします。つまり「後悔」を「反省」に変えるのです。

反省は堂々巡りにならない文章です。まずは、紙と鉛筆を使ってこの変換の方法を練習してください。それが習得できると、瞑想中に「後悔」が出てきてもこのやり方を思い出せるようになります。

「○○すれば、良かったのに……。あっ、これでは、思考が止まらなくなって瞑想の片付けができなくなるのだ。だからこの後悔はやめよう。ええと、○○すれば良かったのに……、ではなく、○○しなかったから悪かった。悪かったのか。そうか、全然認めたくないけど、確かにそうだ。悪かった。反省にするのだな。でも、このことはあとで考えよう。今は瞑想中なのだ、反省もあとで」と棚上げできるようになります。

棚上げのコツは、「後悔」のように堂々巡りの未解決の案件は、「反省」のような完結した言い切った案件にすることです。

なぜなら「〇〇しなかったから確かに悪かった」という文章に、もし何か続けようとしても「今度からは、ちゃんとしよう」、あるいは「もう忘れよう」というくらいしかありません。そのことについての思考を止めることができるので、棚上げが完成するというわけです。

また、それができるようになってくると、日常の生活で思わず「ああ、〇〇すれば良かった」と思っても、「あっ、これは不毛な後悔の堂々巡りのセンテンスだ」とすぐに気がついて、止めることができるようになります。

手強い思考を止める2 「心配」

心配も「手強い思考」です。「もし、〇〇になったらどうしよう」が心配の基本形です。これが出てきたら、頭はすぐに「どうしよう、どうしよう」と考えを膨らませます。瞑想を上達させるためには、これをすばやく止めて棚上げできるようになる必要があります。

しかし、心配事を忘れようとしても上手くいきません。頭は重要な問題だと思っていますから、忘れようという提案を受け入れてはくれません。つまり忘れません。「忘れようという工夫」は効果が上がりません。ではどうするか。後回しにします。棚上げします。

その具体的なコツは、「〇〇になったら、どうしよう」のその「どうしよう」をまず取り除きます。その代わりに、「その時になったら、考えよう」あるいは「その時になったら、対応しよう」と入れます。つまり「〇〇になったら、その時、考えよう」とか、「〇〇になったら、その時、対応しよう」にします。これなら心配事を忘れるわけではなく、考える時期の変更なので、頭もしぶしぶ納得します。

「その時になったら考えよう」という文章は、「どうしよう」がなくなっていますから一息つけます。このように一呼吸入れて、それから「今は、瞑想中だから後で考えよう」ときっちり棚上げします。

もし、これが瞑想中にできないようであれば、瞑想を一旦やめて、その案件を無害な別のものにしてから再び瞑想してください。無害なものにするには、前出の「その時になったら考えよう」のほかに、「結果がはっきりするまでじっと『待つ』」とか、「これは『来週』考える」とか、とにかく「どうしよう、どうしよう」と思わなくなるような決着なり結論なりを工夫してつけてしまいましょう。

どうしても、自力でその決着がつけられないようなら奥の手があります。「なるようになる」と思うことです。「なるようになる」は、実際にはほとんど意味のないセンテンスですが、頭は真面目ですから「そうか、なるようになるのか。それなら私が心配することはないか」と納得することもあります。

どうしても心配が止まらないときは、この「なるようになる」というフレーズを思い出してください。これは強力です。日常でも不要な心配を止めるのに結構使えます。

手強い思考を止める3 「怒り」

「怒り」はエネルギーを伴っています。このエネルギーが貯まっていると冷静な思考ができませんので、まずその解消を優先させた方が良い場合もあります。

もし大量に貯まっているなら、例えば、海岸まで思いきり走るとか、海に向かって

「馬鹿ヤロー」と叫ぶとか、枕を力いっぱい叩くとか。とにかく人に迷惑の掛からないように発散させてしまいましょう。

怒りのエネルギーも運動のエネルギーも同じです。消費すると解消されます。そして今度は冷静にエネルギーを産出し続けている原因の発見・解消をしましょう。

相手を変えようとしたり、教育しようとしたり、自分を守ろうとしすぎたりすると、「臨戦態勢」になります。

例えば、「あのやろう。許さん」と謝罪を求めたり、復讐《ふくしゅう》しようとすると即座にそうなります。その状態が続くと結果的にエネルギーが貯まります。解除するには、怒りを我慢するのではなく、「自分の視点からではなく、違う角度から視野を広げた理解（＝「俯瞰《ふかん》理解」）」をしてみることです。

例えば、相手をその生い立ちまで遡って理解してみると、相手が、そのような無礼な応対しかできないのも、実はその可哀想な成育環境から考えれば仕方ないことなのだと理解できる場合もあります。すると「怒り」は消えて、「憐《あわ》れみ」とか「同情」、「許し」に変化します。

また、自分と相手の意見が違うときにも小さな怒りが起こったりしますが、それは自分を変えたくないという保守的な頭が起こしている場合が多いですから、そのような時は、例えば、「自分も変わらなくていいし、相手も相手のままでいい」と「人は人、自分は自分」という許容範囲の広い余裕のある「俯瞰理解」ができれば、これも解消します。

瞑想中に怒りが出てきて万一おさまらないようなら、一旦瞑想をやめてください。そしてまず「怒り」を解消する練習をしてください。

「怒り」は「欲の4要素」により発生・継続していますから、解消のための「俯瞰理解」をするには「愛の4要素」が良いヒントになります。つまり、どう考えれば手早く「許せる」のかを自分のために工夫することです。すると簡単に「怒り」が消えます。それが瞑想上達の近道です。

繰り返しますが、瞑想中に相手に復讐する方法や、やっつける方法をいろいろ考えていたのでは瞑想は確実に後退します。「瞑想中は何も考えない」ことです。

手強い思考を止める4 「嫉妬」

嫉妬というのもやっかいな感情です。

嫉妬とは「羨ましい」ですが、これはほとんど自分の強欲から出てきたものです。自分は努力しないであの人のいいところだけが「欲しい」のです。その強欲に自分で気がつけば「ああ、なんて私は強欲なのだ」とすぐに嫉妬は終わります。

コツとしては、「あの人のようになりたいなぁ」と思ったら「それほど、羨ましいのならあの人と、肉体も時間も過去も家庭も仕事も全部、人生まるごと取っかえっこしますか?」と自分自身に聞いてみる手があります。すると、大概、「いや、それはちょっと困る。私はあんなにすさまじい努力はできない。また、あのような大変そうな家庭はいやだ。今のままがいい」と強欲がおさまります。自分は基本的には自分が一番好きなのです。それで大概すっきりと「羨ましい」が消えます。

「後悔」「心配」「怒り」「嫉妬」のほかにも、人にはそれぞれ各人各様の「手強い思考」があると思いますが、それらは瞑想中に持ち込まない方が瞑想が早く上達します。

瞑想の前に片付けておく。あるいは「片付けやすい案件」にしておく。瞑想中に大きく膨張するような「手強い思考」対策は日常から講じておく方が上等です。

3 瞑想には段階がある

瞑想の段階

瞑想は大きく二つの段階に分けられます。「努力」が必要な段階と、「無努力」が必要な段階で、前者が第一段階で、後者が、第二段階と言います。

第一段階　実践瞑想（努力が必要な段階）

第一段階とは、頭の一時記憶域である「机上」のメモなどのデータ類を片付けている段階のことです。マントラという道具を使って（マントラを唱えながら）整理整頓の作業をしている状況です。この第一段階のことを、「実践瞑想」、あるいは、「SWEEP STAGE」ともいいます。整理整頓、棚上げの段階です。

第一段階は、さらに「表層瞑想」と「中層瞑想」の二つに分けることができます。前者は、五感から入ってくる情報を遮断したり、片付け作業をし、後者は、頭の中に元々あるデータ類の片付け作業をしています。普通、「表層瞑想」、「中層瞑想」の順に進みます。

この第一段階が完了すると第二段階に入れます。

第二段階　境地瞑想（無努力が必要な段階）

第二段階とは、「思考」が消えてしーんとしたとても静かな状態になることです。

思考がなくなっている、消えている状態で、「境地瞑想」といいます。そうなった状態を、「瞑想の状態」になったとか、「ニルヴァーナ」とか、「DELIGHT STAGE」とかいうこともあります。

この第二段階は、古い記憶にアクセスしたり古い懸案事項を扱ったりしている状態の【深層瞑想】と、快感（エクスタシー）、あるいは、悦楽を感じている状態の【至福瞑想】の二つに分けられます。またこれらは同時に起こることもあります。

【深層瞑想】になると、自分の脳の古い記憶庫の扉を開くことができますので、懐かしい人やおもちゃや、場所、家具など、ありとあらゆるものを思い出すことができます。幼い頃のよく遊んだ砂場や校庭の隅などもありありと思い出せます。毎日がわくわくして躍動していたころの気分も戻ってきます。これも瞑想の大きな楽しみの一つです。それが体験できると自分自身に大きくどっしりとした安定感、安心感を持てます。

【至福瞑想】は、感情というよりは感覚・体感です。脳内がとても気持ちの良い状態になります。最初はとても短い時間ですが、瞑想が上達すると次第に長く保てるようになります。さらに進むと日常で電車に乗っている時などでもこの感覚が起きるようになります。

【境地瞑想】には、上達すれば瞑想開始後、3、4分で入れるようになります。ただし、それまでに雑念がすべて片付くことが必要です。逆に言うと、雑念が消えてしまえば自動的にこの境地に入場しています。入場するのに努力は不要です。まるで霧が晴れれば自然に青空の下にいるようなものです。瞑想をし始めて2、3ヶ月でこの境地に入れるようになる人も少なくありません。

4 時間節約、カンタン瞑想法

手軽にできるカンタン瞑想（「f《エフ》瞑想」）

日常、どこでも手軽にできるカンタンな瞑想法を紹介します。「f瞑想」といいますが、第一段階の瞑想を場所や時間に関係なく気軽に行う瞑想法です。

瞑想は、座って瞑想をし始めると、必ず第一段階から始まります。これは毎回そうなります。

日によっては、第一段階が短くなったり長くなったりしますが、必ず第一段階を通ってから第二段階に進みます。座って瞑想したら、いきなり第二段階から始まったということはありません。

第二段階は頭が安心できる環境の方が良いのです。しかし、第一段階は、静かな方が良いことは良いのですが必須条件ではありません。少々周りが騒然、雑然としていても、努力次第で第一段階の片付け作業は実践可能です。

それを実践することは、瞑想の大切な「片付け作業」をしていることになりますし、瞑想をして得られる心の爽快感や満足感もその片付き加減に応じて得られます。忙しい日常で短時間でもこの第一段階の瞑想を実践することは良いことです。

また、日中にこの第一段階の一時記憶域の片付け作業をいくらかでも前倒しにしていると、例えば、夜半座って瞑想ができる状態になれば、第一段階はごく短時間で通過して、すぐに第二段階に進むことができます。

また、第一段階の瞑想を日中少ししているだけでも、睡眠が深く健やかになります。これは、棚上げの効果で睡眠時の記憶格納作業が円滑に行われるからです。

つまり、日中からできるときに少しずつでも、一時記憶域の片付け作業をしておくのが良いことです。僅かの時間を使って実践する。役所や銀行で順番を待って椅子に座っている時間でもやってみる。腹式呼吸をしながら実践してみてください。5分でも10分でもいいです。3分だけやってそれでやめてもいいです。

「よし、今から瞑想をやろう」と思ったら、具体的には、まず机上に上がってきた「思考」や「懸案事項」を認めてすぐマントラに戻る棚上げ作業です。

腹式呼吸でゆったり息をしてマントラを唱え続ける。目を瞑っていても開けていてもどちらでもかまいません。開けている場合は、ぼんやり何かを見るような見ないような、そして目をあまり動かさない。

マントラを唱える気分ではなかったら、他の考えを追わずにひたすら呼吸に意識を集中する方法でもいいでしょう。そのようなリラックスした状態が持てるように、日中で3分くらいの時間を見つけて何度か実践すれば、それはとても良い第一段階の瞑想（実践瞑想）になります。

このやり方は、いつでもどこでもできる基礎的な瞑想なので「ファンダメンタル瞑想」と言います。「エフ瞑想（f瞑想）」とも言います。

このf瞑想のコツは「いつ瞑想をやめても、OKだ」と思ってすることです。邪魔が入ったとか、ああ、もう少ししたいとか、不満に思わないこと。「しばらくの間、自分は消える」「無になる」「何も考えない」という感じでしょうか。

電車が来るのを待っていたり銀行の窓口で待たされたりの短時間で、手軽にすぐに始めて電車が来たり、自分の番がくれば自然に終了という軽い瞑想です。

でも、「f瞑想」も立派な第一段階の瞑想です。是非やってみてください。瞑想が上手くなってくるとこの「f瞑想」をこまめに実践して机上がいつもキレイに片付いていれば、「ふーっ」と深い呼吸一つで「f瞑想」から極めて短時間で第二段階の深い境地瞑想に入れるようにもなれます。

椅子に座って「腰掛瞑想」

なお、この「f瞑想」を腰掛に座ってする場合は、もし、足が組めるようなら片足だけでも椅子の上に載せ、もう一方の足の下に入れると、正式の座り方に近くなります（左図）。もし、これに手をつけて目を瞑ると、ほとんど、【着座】しているのと同じになります。座布団などに胡座《あぐら》で座るのではなく、椅子や腰掛に座って瞑想するので、腰掛瞑想といいます。

もし、背もたれがあるなら軽く背もたれに背中を預けても良いでしょう。コツは頭を最も軽く支えられるような姿勢や背筋の体勢を取ることです。腹式呼吸をゆったりする。この腰掛瞑想は静かなところで実践すれば、ほとんど本式の瞑想の実践に近い

何も考えずリラックスして腹式呼吸を続けましょう。姿勢や形は場所に合わせて工夫してください。

効果があります。

今の日本に胡座を組んで座るところは少ないですが、椅子に腰掛けて座れるところはいたるところにありますので、この腰掛瞑想をするには困らないと思います。

腹式呼吸をして、できればマントラを唱える。そして、一時記憶域のデータを小まめに片付ける。それだけで日常が落ち着いた寛いだものに変わってきます。つまり瞑想を習慣にすると、一日が長く豊かに穏やかになります。

お昼休みの短時間でも効果あり

家庭でももちろんですが、頭や神経を使う会社や職場でも、たとえば、お昼休みや休憩時間などを利用して「f瞑想」をすれば自分自身が朗らかにもなりますし、職場全体の人間関係も穏やかで良好になります。

また、頭が活性化するので、企画力から交渉力までアップします。職場に活気が出て仕事もうまく進むようになります。短時間でできる「f瞑想」を職場でも是非活用してみてください。

喫茶店等で行う場合、周囲の音が気になるようなら、瞑想CDをヘッドホンで聞きながらこの「f瞑想」をする工夫も考えられます。

瞑想の基本的な作法の目的をよく理解して、いろいろ状況に合わせて工夫してみてください。

5 日常生活で行うエクササイズ

日常生活で自分の心（欲望）を観察してみる

日常の生活をしながら、観照（脳が欲望に沿って働く様子を観察・チェックする）の練習ができる方法を紹介します。

人間の欲望は数多くあります。お釈迦様によれば、百八ほど煩悩があるそうです。私は、欲を観る練習のエクササイズをそれと同程度準備していますが、本書ではその中からベーシックなものを3つ掲載します。また、練習の目的を明確にするために、ここで、「欲」と「思考」と「瞑想」の関係をあらかじめ説明しておきましょう。

「欲」、「思考」、「瞑想」は互いに関係している

脳は「欲」があればそれを充足させようと「思考」します。「瞑想」はその脳の働く様子をチェック（観照）して、良好な状態に調整しようというものです。

まず「欲」ですが、欲には「肉体的な欲」と「精神的な欲」があります。「肉体的な欲」は、動物としての生命維持、保全、繁殖のための本来備わっている欲です。「精神的な欲」は、生まれた後、経験や学習により個人的に追加されたそれ以外の欲です。

「肉体的な欲」の種類は、①食欲 ②睡眠欲 ③性欲 ④呼吸欲 ⑤排泄欲 ⑥保全欲の6種類で他にはありません。また、「肉体的な欲」は個人差はほとんどありません。

特徴は、欲の発信元は肉体の各部位で、例えば、膀胱は満杯になれば排尿したい「欲」を「頭」に発信します。まるで「頭」の机上に「排尿要求！」という「欲のプラカード」を立てるようなものです。「頭」はそれを観ながら対策を考えるのが仕事です。普通は「欲」を充足させる対策を取ります。しかし、それが直ちに実現できないときは、その「欲」を抑圧し膀胱に我慢を強います。「抑圧我慢方式」と言います。

但し「頭」は、「排尿要求！」等の「欲のプラカード」を忘れたり、無視したり、勝手に倒したりはできません。もしそうすると、自分の生命等に関わります。「肉体的な欲」はその意味でとても強力です。

またその「欲」が首尾よく充足されると、まるで、「すっきりしたからもう結構です。ＯＫです」というような情報（＝「満足サイン」）が膀胱から「頭」に来ます。それが来れば「頭」は、やっと「排尿要求！」のプラカードを倒せます。「頭」は一つ懸案（「欲のプラカード」）を片付け、一仕事完了したことになります。

また「頭」は、受け取った「満足サイン」で「欲のプラカード」を倒す作業をする際には、その「満足サイン」が当初の欲の発信元であるかどうか厳密に照合しています。肉体的な欲については、「満足サイン」の代替は不可です。

次に「精神的な欲」ですが、それは百種類以上もあります。例えば、「名誉欲」「金銭欲」「支配欲」「知識欲」「認められたい欲」「好かれたい欲」「愛されたい欲」「自慢したい欲」「威張りたい欲」「仲間になりたい欲」「構って欲しい欲」「放っておいて欲しい欲」などなど。また、個人個人特有の欲もあります。

特徴は欲の発信元は「頭」自身だということです。

「頭」は、「精神的な欲」を元にプラカードが立っても、その実現に向けて対策を考えます。もし、すぐには叶わない事柄であれば、「頭」は「抑圧我慢方式」を取りながら目標達成努力などの対応を続けます。「遊びたいのを我慢して勉強する」「欲しいものを我慢してお金を貯める」とかになります。それは良いことで、ある意味子供から大人への成長です。

しかし、「精神的な欲」はそれを達成しても、プラカードが倒れない場合がありま す。それは、頭が、自分が成立させた「欲のプラカード」を自分が発信元であることを忘却していたり、原則として自分から「満足サイン」を出すことは禁止されていると思い込んでいるためです。

例えば「有名になりたい！」という「欲のプラカード」に対応して努力して何か「賞」が取れたとします。「頭」は一瞬嬉しいと思いますが、しかしいくら待ってもどこからも正式な「満足サイン」が来ません。頭は、「これで満足サインが来ると思ったけど、来ないなぁ。膀胱からも、胃からも来ない。いつまで待っても、どこからも満足サインが来ない。これじゃこのプラカードを倒せないぞ。仕方ないなぁ。まだ頑張れということか」と思います。そして、そのプラカードが立ちっ放しになっている限り、真面目な「頭」はそれに向かって対応を再開します。

つまり、「賞」を取って（get）自分のものにした（hold）けれど、理想と比較する（compare）とまだ小さいからプラカードが倒れないのだと判断して、もっと大きな（more）賞を取らねばならない、欲しい（get）という「欲のサイクル」を起動させてしまうわけです。ですから、欲が限りなく継続・膨張してしまうことになるのです。いくら愛されても愛され足りない。いくらお金持ちになってもお金が足りない。いくら権力を持ってもまだ欲しい。そのようになった欲を「問題化した欲」といいます。「精神的な欲」が問題化すると、ある意味「肉体的な欲」より強力になります。脳（智恵）の発達した人間には、他の動物には見られないこのような逆転が起きやすいのです。

問題解決のためには、その「欲」について、真の発信元を確認（自分であることを確認）し、「抑圧我慢方式」以外の対応方法（消去・撤廃方式）（＝「消滅安寧方式（後述）」といいます）が取れるようになることです。

宝彩有菜の愛と欲の8要素表

欲の4要素			愛の4要素		
get	得る	**欲**	**愛**	与える	give
hold	保つ	**執着**	**笑い**	自由·放つ	leave
compare	比べる	**比較**	**大肯定**	認める	accept
more	もっと	**不満**	**感謝**	足る	enough
欲の方向 ⇦			⇨ 愛の方向		

肉体的な欲・精神的な欲の両欲について「抑圧我慢方式」が社会常識程度できるようになることを「智恵の成長」といいます。精神的な欲についてさらに「消滅安寧方式」ができるようになることを「智恵の完成」といいます。

本当の人間の幸せのためには、「智恵の完成」が必要なのだといえます。

瞑想は「智恵の完成」のための実践的な練習方法です。

「智恵の完成」と「愛と欲の8要素」

瞑想して「智恵の完成」を目指しますが、「欲」を捨て世捨て人になろうとしているのではありません。瞑想することによって、「欲」の思考ドライブをかけないで「愛」の思考ドライブをかけて、心を働かせましょうと言っているわけです。

「智恵の成長」とは、図に示した「欲の方向」に行き過ぎないようにするために「抑圧我慢方式」ができるようになることです。それも、もちろん大切な成長です。でもそれがいくら完璧にできたとしても「智恵の完成」には至りません。

「智恵の完成」とは、「消滅安寧方式」ができるようになること。つまり「欲」とは逆の方向、「愛の方向」に進むことです。get, hold, compare, moreという「欲の方向」ではなく、give, leave, accept, enoughという「愛の方向」に進むことです。

「欲のプラカード」は「欲」があるから起立しています。これを倒すには、「欲の方向」ではなく「愛の方向」に進めば良いのです。「欲のプラカード」を倒すには、①立てたのは「頭」自身であることを思い出して（＝方向転換して）、②自ら「満足サイン」を創出すれば良いのです。①方向転換には、瞑想が役に立ちます。②満足サイン創出は「愛の方向」に進めばできます。自分の思考・行動を「愛の4要素」を基盤にすることです。「愛」「笑い」「大肯定」「感謝」を忘れないことです。また「精神的な欲」の「満足サイン」は、他の「精神的な欲」に対しても等しく有効です。愛の4

要素の一つができれば、他の3要素も自動的にできます。

また、世の中の、すべてのこと、すべての仕事、すべての活動は、「欲」からもできますし、「愛」からもできます。そして、人類の一番素晴らしい芸術や、文化や、偉大な仕事は、すべて、どれも、「愛」からもたらされたものです。また日常での優しさや嬉しさや楽しさもすべて「愛」からであればどれもホンモノです。「欲」を捨てましょう、消しましょうというのは、そういうことです。

この本の中で最も大切なポイントの一つなので、もう一度言いますが、「智恵の完成」とは「愛の方向」に行きましょうということです。

観照するためのエクササイズ

瞑想は「智恵の完成」のための実践的な練習方法ですが、その「瞑想」で最初にマスターすべきことが「観照」なのです。「瞑想」の入り口が「観照」であるとも言えます。この入り口を開けて通過できれば、ほぼ後は一本道で、瞑想は上達します。ですから、まず「観照」をマスターすることが大切です。

「観照」の練習は、瞑想の時だけでなく、日常でもできます。ここにベーシックなエクササイズを3例挙げましたので、是非実践してみてください。体験すると「観照」とは何か、そのコツなども深く納得・理解できると思います。「瞑想」は実践科学ですから、自分で体験して確認してください。

日常の「観照」のエクササイズ

（1）悪い気分、それはラッキーだと思う練習
（2）批判の心をチェックする練習
（3）人生を素晴らしくする練習と準備

エクササイズ1　悪い気分、それはラッキーだと思う

人間は、普通悪い気分になると「不運だ。アンラッキーだ」と思います。ところが、このテーマは逆に「悪い気分」になったら、すなわち「幸運だ。ラッキーだ」と思う

練習です。

悪い気分は「欲」の未充足のために起こってくる感情なので、「欲」の尻尾を捕まえるのに、これほど好都合な感情はないわけです。それを利用します。「欲」を取り押さえる基本的な練習になります。

例えば、お腹が空いている。空腹感が起きてきます。「悪い気分」です。子どもなら泣いてしまいます。「食欲」という「欲」が未充足であると分かったわけです。「尻尾である」悪い気分から「本体」の「欲」を発見できました。「空腹に気がついた。ラッキーだった。なぜなら、これで空腹という欲のプラカードを倒す作業に向かえる」と考えてください（欲のプラカードとは、頭の中にある「欲求サイン」の掲示されたものというイメージです）。

例えば、部長に残業を言い渡されました。嫌な気分です。「どうして、前もって段取り良く仕事ができないんだろう。まったく急に残業だなんて、今日は寄りたいところがあったのに、嫌だなぁ、……」と考えるのではなく、この練習では「うっ、嫌な気分だ。でも、『ラッキーと思う』のだ。なぜなら、その欲のプラカードを発見できたら、悪い気分の解消の手がかりが摑める」と考えます。欲のプラカードを発見するチャンスです。そして「さて、どんな未充足の欲があるのだろう」と考えます。

このように、「悪い気分」に気がつけば、もうすぐそこに「欲」が姿を現しているわけですから、捕まえるのが容易です。どんな「悪い気分」もそれが起こっているのに気がついたらラッキーなのです。

「悪い気分」＝「未充足の欲がある」という仕組みが働いていることが即座に分かるようになることです。具体的な欲の名称が分からなくても、この仕組みが起動していることを理解することが第一ステップです。

自分の頭が、今対応している欲を発見するために、この練習をしてみてください。まずは「欲」を直ちに発見しようとする習慣をつけましょう。

さらにその欲が「肉体的な欲」か「精神的な欲」か分別作業をしましょう。「これは肉体的な欲。満足サインが来たら解消できる」、「これは精神的な欲。だから満足サインは来ない」と。それだけで本格的な心の観照になります。

また、元の欲が不明でも構いません。古いものほど分かりにくくなっていますが、その場合は、「わたしはすぐこのように反応するのだけど、なぜだろう。どんな欲があるのだろう」と反応する仕組みに「?.」（クエスチョン）を付けておいてください。

「なぜだろう?」という疑問を頭の片隅に点灯させておくと、頭は暇なときに調査します。時期が来れば自動的に「なるほど、わたしはこう思っていたのだ。だから気分が悪くなるのだ。でも、それは昔のことで、今はそう思う必要はないのだ」というような嬉しい気付きや発見になることもあります。

一度でもそれが確認できると、もう自動反応ではなくなります。二度と同じような苦しい気分になることはありません。

この「悪い気分、それはラッキーだと思う」練習は、一日でもいいですが一週間くらい続けると、さらに「気分」と「欲」と「思考」の関係が自分自身で明瞭に分かってくると思います。悪い気分の元には必ず何か欲があります。

また、自分の練習の励みのために、欲を発見したらそれをカウントして成果として記録するのも良い工夫です。精神的な欲と肉的な欲の合計でもいいです。また、面白い欲や、ユニークな欲を発見したらコメントを書いておくのも勉強になります。

この練習テーマは瞑想が上達した人も、初心に戻って繰り返し実践してみる価値があります。まだ手懐《てなず》けていない欲を発見できたり、自分の上達度が再確認されると思います。

エクササイズ2　批判の心をチェックする

この練習は世間に対して良い人になろうとするのではなく、自分の欲の観察が練習テーマです。

「批判」が起きる原因は自分の基準と人の基準が異なることにあります。

「何よ、あの人常識がないわね」という場合は、自分の常識と相手の常識がずれているから起こってきます。同じなら起こりません。

「そんなことをするなんて、マナー違反だ」という場合も、自分のマナーの基準と相手のマナーの基準がずれています。

「なんで、あんなことをするの。馬鹿じゃないの」と思う場合も同じ。

「あんなに遊んでばかりだと人生破滅するわよ」と批判するのも同じです。

「いいじゃないか、そんな固いこと言わなくっても」というのも同じです。

相手の基準より、自分の基準が高いからではなく、ずれている。

そして、相手の基準とずれていることに対して「自分の基準は正しい」と思っているために、相手を批判することになるわけです。「批判する」ことは、人類が共存共栄して「種」として繁栄していこうという「遺伝子」にまで組み込まれた本能だと思われるくらい、根源的なものです。

例えば、誰かが危ないことをしていたり、何か毒キノコとかの毒物を食べようとしていると、思わず「やめろ」と止めたくなります。あるいは止めます。黙って見ているると気分が悪くなります。ですから阻止します。自分の基準と違うことをしているからです。それは結果として相手を危険から守ろうとしていることになります。この働き方は素晴らしいと思います。「人類愛の遺伝子」といってもいいです。この場合「危ない、馬鹿っ、やめろ」というのはいわば「人類愛」からの行動なのです。

しかし、その働きが人類の繁栄に無関係のものまで拡大して作用するから良くないのです。服装や食べ物の好き嫌いや口のきき方、個人の生き方など人類の繁栄にあまり関係ないことについては「馬鹿っ、やめろ」とこの遺伝子の働きを実直に起動させる必要はないのです。

そのためには、まず、いつどのように「批判」が起動するのかを観察しチェックしてみてください。「嫌だな、あんな言い方をして」と思ったときに気がついて「あっ、これは批判だ」と自分の思考を観察できたら一回カウントしましょう。

「批判」は瞬時に無意識に起こりますので、注意深く意識しておいてください。

批判する頭の動き出しが分かるようになることです。出鼻を押さえる。それができると、その次に相手を「変えよう」と思うのも自由ですし、「放っておこう」と思うのも自由になります。そうなると、「相手を変えようと思うけど我慢しなければいけない」というような抑圧がなくなります。気分が悪くなりません。

「危ないじゃないか、やめろ」とも言えますし「あははは、面白いことをしている」とも言えるようになります。自分の中で起きた「批判」に対して無意識ではなくなったからです。どう行動するかの判断の自由を、自分の手に入れたと言えます。なんだか自分が大きく豊かになったような感じがしてくると思います。
(注)ただし、自分に対して理不尽な扱いをしてくる人に、その態度の修正要求をしているのは「批判」としては考えません。よく似ていますが別物です。これは「一種の要求」ですから、どう交渉するかという問題です。「批判」と同一視しないようにしてください。

エクササイズ3　人生を素晴らしくする練習

人生では時々「ああ、生きているって素晴らしいなぁ。人生っていいなぁ」と思えるときがあります。しかしそれは、ほんのたまにであったり、一瞬であったりします。仕事熱心な頭は少しでも今より幸せになるように熱心に考えます。実際、頭の任務はより幸せになるために「問題を発見してそれを解決すること」です。頭は任務に従って、常に新たな問題を発掘し続け、さらにそれを深刻化します。本当に脱帽に値します。しかし、頭のこの働き方を無自覚に放っておくと、現象として自分の人生は常に多くの深刻な問題を抱えたままになってしまいます。

そこでこの練習です。「人生は素晴らしい」と心の中で仮に言ってみる練習です。

頭は全然そう思っていませんから「何を言っているんだ」と思います。それでいいのです。何かにカリカリしていたり、何かが心配だったとしても、「人生は素晴らしい」という言葉を差し込んでください。「どうして上手くいかないのだろう！」と考えているなら「でも、人生は素晴らしい」を挿入します。「心配で、不安で、どうしたらいいだろう」と考えているなら「でも、人生は素晴らしい」を差し込みます。

するると、意識が途端に小さなことから離れられます。人生という長いレンジ、大きな視野に立てます。「そうか、こういう試練や問題があることも人生なんだなぁ、そして、人生は基本的には素晴らしいのだなぁ」と少しは思えます。

これを挿入するのが上手になってくると次第に「人生は素晴らしい」が基本トーンになってきます。問題は問題、懸案は懸案、でも、自分自身の気分はそれとは別物になってきます。この点が素晴らしいのです。

「でも、それでは、問題や懸案事項を真剣に考えなくなってしまいませんか？　より合理的により経済的に解決しようとしているのに、いい加減な解決策になってきませんか。それって、最善の解決策を見つけられなくなってくるんじゃないんですか。だから、人生は素晴らしいなんて、そんなことを思ってはいけないと思います。もっと真剣に考えなければいけないと思いますが」と頭は依然として納得していないようですが、それが頭の仕事ですから仕方ないのです。が、ここで頭の反論に負けてはいけません。そんな場合はこう言いましょう。

「よろしい、人生は素晴らしいと唱えて、その基調の上で考えた結論が充分検討したものとはいえない懸念があるという主張はわかった。でも、私はそれで充分だ。『人生は素晴らしい』の基調の上で考えた結論でOKだ。だから、もう、それ以上あれこれ考えることは不要だ」と、つまり、ここが踏ん張りどころなのですが、検討し尽くしてない感覚があってもそれで「良し」と思うことです。決して検討し過ぎないことです。特に、未来・過去について検討し過ぎない。

大方の「不幸感」はこの検討し過ぎから発生していますから、これが消えてなくなれば本当に「人生は素晴らしい」という実感に必ず繫がってきます。

復習すると具体的な練習の方法は、

①悪い感情に気付いたら「人生は素晴らしい」と言ってみる。

②検討不足であることの責任を頭に問わない。不問にする。

人生の貴重な有限な時間を無駄にしてはなりません。この練習テーマは副次的に無駄な思考をやめようというわけでもあります。「人生は素晴らしい」を挿入しましょう。そして素晴らしい人生を本当に堪能しましょう。

コラム　超常現象のウソ④

幽体離脱って本当にできるようになる？

幽体離脱して「私の魂は自分の身体から抜け出ました」という人がいます。物理的に考えてそれは無理です。幽体離脱という現象はありえません。

ただ、私自身も深い瞑想をした後に、足を投げ出して寛いでいる自分の全身をちょうど頭の真上の天井くらいの位置から見下ろしていたことがあります。

「ははー、これがいわゆる幽体離脱だな」とおもしろく観察していましたが、やがて、映像がゆっくりと通常の自分の頭の中に埋もれた眼球からのものに戻ってきました。

これは目からの情報を処理して、立体的に再構築する脳の画像ソフトのポジション係数の「遊び」です。簡単に言えば3Dの視点の変更です。いわば錯覚です。普通はいつも視点がある位置にポジションの基点を保持していますが、その必要性がないときや、あるいは、保持する力がなくなれば、それはずれたり動いたりします。ですからリラックスしていて、しかも、よく見慣れた部屋とかでこの現象は起こりやすいです。緊張しているとポジション係数がずれるまでに緩むことは、あまりありません。

人間の目は片目ずつからの二つのずれて異なった平面画像を脳に伝えます。脳は「再構築ソフト」でそれを一つに再構築し立体映像として認識しています。実際に目の前にあるものをそのまま見ているわけではなく再構築されたものを見ているので、その際の視点ポジションが「再構築ソフト」内で移動すれば上から見たような映像を構築できます。

空を飛ぶ夢だって見せてくれる頭です。位置情報を少し変えるくらい朝飯前です。もしも、自分で実験してみたいなら深い瞑想状態のまま薄暗い部屋で、静かに足を伸ばして上体をゆっくり後ろに倒してみてください。半分くらい倒れたところで後ろに手をついてしばらく斜めの状態で止まり自分のつま先を見ていてください（口絵P4、⑮「終了休息」のイラストのイメージ）。すると、そうなることがあります。頭のソフトは既に寝た状態まで先に行ってしまいますが、自分はまだ斜めで止まっているからです。

しかし、これができたからと言って何も得にはなりません。できなかったからと言って何も損にもなりません。単に一種の錯覚です。

でも、自分の身体を上からしみじみと見下ろしていると「ああ、私はこの身体の中にしか居られないのだなぁ。唯一無二のかけがえのない大切なものなのだなぁ。この宮殿に住まわしてもらっているのだ。いとおしいなぁ。最大限のケアをしてなるべく永く住まわせていただこう。ありがたいことだ」とかいう感想になったりします。

5章

上手な「瞑想」のためのQ&A

Q1　呼吸のポイントを教えてください

A

瞑想中は吸う息も吐く息も両方とも長くします。ゆったりとした呼吸は、第一段階（実践瞑想）でも第二段階（境地瞑想）でも同じように大切です。

瞑想が上達してきて第二段階に入れるようになると、その呼気の最後の部分で、最初の悦楽（エクスタシー）を感じることがあります。

よく観察すると、吐く息が終わったとたんに「それ」が消えますから、吐く息を長くする工夫をします。吐く息の量を少なくして長く吐くのでは、「それ」は来なくなってしまうので、元から大量に吸い込む必要があります。

ただし、慣れないうちに「大量に吸い込むのだ」と思って無理な呼吸をしていては苦しくなりますから、この呼吸のやり方は徐々に練習してください。ゆったりと自然な息ができるようになるのが基本です。また、どのくらいの長さが良い時間なのかはその人それぞれだと思います。

Q2　周りの生活音がうるさいときには、瞑想CDを使ってもいいでしょうか？

A　周りの生活雑音をCDの音で打ち消そうという目的で、CDをかけて瞑想することがあります。単純な音が入っている瞑想用CDを瞑想時に使用して、気になる生活雑音を打ち消し、自分はさらにマントラに集中して、その瞑想用CDの音も意識から一緒に消してしまう方法です。そうすると聴覚の遮断が成立します。

使うCDはメロディのない単調なものが良いでしょう。ただし、同じ高さの音が続くと耳が痛くなりますので、適当に揺らいだ音の方が良いです。たとえば、せせらぎの音やインドの楽器のタンブーラの単調な演奏などがお勧めです。

頭に何かイメージをさせたり、考えさせたりするような言葉の入った誘導的なCDや、メロディのある音楽は、かえって瞑想の邪魔になります。また、風系の音は不安になりますし、鳥の声なども意識が動きやすいので向いていません。

Q3 瞑想中、目に力が入ってしまうのですが、目の位置はどうすればいいのですか？

A

瞑想を始めると目の位置が気になったり、舌を置く位置が気になったり、さまざまに気になるところが出てきますが、一番楽な位置を探してください。緊張しない、緊張させないことが大切です。力を抜くことです。

意識をその部分から離すと力が抜けることがあります。すると、別のところに意識が行って、今度はそっちが気になったりすることもあります。

思い出しましたが私も最初はそうでした。目が済んだら、舌とか。そういえば心臓がドクドクというのがしばらく気になった時期もありました。でも、一通りあちこち気になるのが済むと、もう、大丈夫です。いつまでも同じところがずっと気になることはないと思います。

目玉の位置が気になるときは、瞑想の時に目の位置を変えたり、力を抜いたりしてみてください。それで一番楽な位置にして瞑想するといいと思います。「気になってもいいのだ」と思ってください。たぶんそのうち気にならなくなります。

Q4

瞑想中に、暗闇なのに青や赤の光が目の奥に見えるのですが、それは瞑想の状態と関係ありますか?

A

「思考」に携わっている頭は「言語」を主に使用していますが、「イメージ」や「画像」などを使用することもあります。それら画像系のデータも頭の机上のデータですから、片付け作業をしなければなりません。

普通、追いかけたり膨らませたりしなければ自然に片付きます。それとは別に、丸い光るものが見えるような気がする場合は、生理的に何か処理をしている場合かもしれません。でもそれも長くは続かないと思いますので、気にしなければいいと思います。

また、暗闇なのに頭の一部か全部がとても明るく（普通は白っぽい感じ）なってくることがあります。これは「境地瞑想」のときにそうなりやすいのですが、理由は視覚を取り扱っている脳の部分が活性化されるからで、それもそのまま、ただ放っておけば良いです。

瞑想中はさまざまなことが起こったり見えたりしますが、自分自身に不利になることは何一つ起こりませんので、安心して瞑想を続けてください。むしろ予想しないことが起こるのを楽しむくらいのつもりの方が、早く瞑想が上達します。

Q5 瞑想中、口中に唾液が溜まってしまいます。どうしたら良いですか？

A

普通、健康でリラックスしている場合は、大人で一日に1、2リットルくらいの唾液が出て飲み込まれ再び循環しています。口やのどや食道をきれいにするためです。瞑想中に唾液がよく出るのは、日常緊張していて唾液が出にくかった状態であったのが解消されてリラックスしたためです。他にも瞑想の形で座っていると、「涙」が出てきたり、「げっぷ」が出たりすることもあります。それらは、身体がそうすることを必要としていたのに、日常の緊張状態などのためにそうできなかったために起こる現象です。

瞑想するとリラックスできるので、このようにまず身体に必要なことが起きることが多くあります。すべて良いことです。瞑想していて貯まった唾液は瞑想中でもどんどん飲んでしまいましょう。それで何の問題もありません。というか、本来の良い状態に近づこうとしていることです。必要な調整等が終われば普通になります。

Q６　眉間に力が入ってしまいます。どうしたら良いですか？

A　瞑想中に、しかめっ面になったり、口が「への字」になったり、肩や首などに力が入ってしまう場合。これは、肉体と連携して何かを記憶していることの兆候ですから、何かを発見する良い手がかりになります。

発見法の一つ。顔なら、無表情のつるっとした顔をして瞑想を始めます。そして、いつ眉間にしわを寄せ始めるのかを観察します。観察できると「ああ、そうか。私は、何か分からないことを考えようとしたときに、眉間にしわを寄せ始めるのだ」とか気づくことがあります。あるいは、「私は何か頑張ろうというテーマのデータを頭が取り扱ったときに、歯をくいしばるのだ」と発見できたりします。

理由が分かったら、今度は日常生活でその無意識の反応を回避するように意識してみてください。例えば「分からない問題」に当たっても、眉間にしわを寄せずに考えるとか、「頑張るテーマ」でも歯をくいしばらないとか。すると、瞑想時にも回避できるようになります。時には、もっと大きなその奥の真の原因の発見に向かえるようになったりします。

Q7

瞑想中、頭や身体にかゆみを覚えるときがあります。どうしたら良いですか？

A

瞑想していると感覚が鋭敏になってきますから、普段はかゆいとは思っていない刺激でもかゆいと感じたりします。その場合は、意識がそちらに行きますから呼び戻さなければなりませんが、「かゆいなぁ、どうしよう。これじゃ、瞑想できないなぁ。かゆくて集中できない」など頭を使って思うのではなく、かゆいと感じたら「かゆいと感じた」と一応かゆみのデータを取り上げて認めるだけにしておきます。もっと短絡すれば「かゆみ」と思うだけです。

そのことについて何かしようとするのは頭なので、そうさせないように「かゆみ」で止めておきます。すると、頭はまた別のデータを持ってきますから、結局その「かゆみ」は忘れてしまいます。瞑想中に五感からあがってくる情報は、このように認めて放っておく方式でほとんど対応できますから試してみてください。

ただし、身体が汗と埃で汚れてチクチクかゆいのだけれど、我慢して瞑想し始めたなどいうのはあまり感心しません。それよりは、先にシャワーでも浴びて身体を清潔にさっぱりしてから瞑想してください。

Q8　瞑想の第二段階で、思い出したくない過去の嫌な記憶が蘇ってしまっても心のリフレッシュができるのでしょうか？

A

瞑想の第二段階になると、いろいろと過去の記憶がリアルに思い出されるようになってきます。

その中には、思い出すと辛くなるような思い出もあるはずです。

普段は、「頭」がそれを抑えて思い出せないようにしていますが、瞑想中は、「頭」の重しが取れるように、それらが手に取りやすくなります。しかし、何となく嫌だ、近寄りたくないという感じがすると思います。でも、大丈夫ですから、勇気を持って思い出してください。

思い出してそのことを再体験したりすると、きっと、その当時に解釈したこととは別の新しい解釈が成立します。

そして、その新しい解釈は、今の自分にとって、とても人生を楽しく生きやすくしてくれる新解釈になっていると思います。
是非、頑張って、その思い出に向かって進んでみてください。

あとがき

瞑想は科学です。技術です。そして瞑想という素晴らしいノウハウは人類共有の貴重な知的財産だと思います。

本書は、瞑想するための手引き書として書いてみました。

瞑想の基本事項やコツをなるべく分かりやすくかつ、丁寧に詳しく説明しました。

また、その理解を容易にするために、心の仕組みや脳の働きについても、並行的に解説することになりました。それらの知識も日常の生活での心の動きや気分のチェックに具体的に有用だと思います。

本書が、皆様の瞑想のマニュアルとして少しでもお役に立てれば嬉しいと思います。

瞑想をすれば明るく健康になれます。

瞑想をすれば幸福に豊かになれます。

瞑想はとても簡単で、心身の健康にも良いものですから、一人でも多くの方にその良さを体験していただきたいと思います。そして、瞑想によって、より多くの人が、愛や、笑いや、喜びに溢れた毎日を送れるようになれれば嬉しいです。

そして、世界中の誰もがみんな幸福で心豊かになれば、この世界全体もより平和で明るく楽しいものになってゆくだろうと思います。

本書がその一助になれるのであればそれに勝る喜びはありません。

本書が出来るにあたって㈱光文社の吉田るみ様、自治医科大学の渡辺英寿教授ほか多くの方々にお世話になりました。どうもありがとうございました。厚く御礼申し上げます。

宝彩有菜

2007年8月

知恵の森
KOBUNSHA

始《はじ》めよう。瞑想《めいそう》
15分でできるココロとアタマのストレッチ

著　者―宝彩有菜（ほうさい ありな）

2007年　8月20日　初版1刷発行
2008年　4月15日　　　2刷発行

発行者―古谷俊勝
印刷所―慶昌堂印刷
製本所―フォーネット社
発行所―株式会社光文社
東京都文京区音羽1-16-6〒112-8011
電　話―編集部(03)5395-8282
販売部(03)5395-8114
業務部(03)5395-8125

落丁本・乱丁本は業務部でお取替えいたします。
ISBN978-4-334-78485-0　Printed in Japan

お願い

この本をお読みになって、どんな感想をもたれましたか。「読後の感想」を編集部あてに、お送りください。また最近では、どんな本をお読みになりましたか。これから、どういう本をご希望ですか。
どの本にも誤植がないようにつとめておりますが、もしお気づきの点がございましたら、お教えください。ご職業、ご年齢などもお書きそえいただければ幸いです。当社の規定により本来の目的以外に使用せず、大切に扱わせていただきます。

東京都文京区音羽一・一六・六
（〒112-8011）
光文社〈知恵の森文庫〉編集部
e-mail:chie@kobunsha.com